武田邦彦

幸せになるための

サイエンス脳のつくり方

ワニブックス

はじめに

日常的に「ウソ」をつく人がいます。とくに今の日本では、政治家や官僚、企業人など社会の主導層でウソをつく人が多いようです。

サイエンスの世界でもっとも忌避されるのが、このウソです。その理由は「自然は絶対にウソをつかない」からです。科学的なウソは、将来的に100％露見します。だから真の科学者は決してウソをつきませんし、誤魔化すようなことも言いません。

ところが近年、政府の間違った指導によって、科学者もウソをつかないと研究費がもらえないという状態になり、その煽《あお》りを受けて一般社会でもウソが蔓延《まんえん》してきました。

1990年代に「役に立つ研究」という概念が持ち込まれ、大学を中心とした研究費の申請に「この研究が成功したら、社会にどのようなインパクトがあるか」「どのぐらいの収益が上げられるか」などを記述することが求められるようになったからです。

「役に立つ研究」の弊害として、地球温暖化の研究やSDGsなどがあります。これによって、日本の科学技術は長きにわたって低迷し、将来の大きな暗雲となっています。科学が人間社会に貢献するのは、「経済発展」だけではありません。人生を深く考えたり、文明を解析したり、自然の摂理を究めたりすることです。その副次的な効果として経済発展が期待されるということがあるのですが、そのために最も大切なものは「科学者の自由な心」です。しかしこれが、現代社会から消え去ろうとしているのです。

サイエンスと人間社会の関係性を考えるときに、もうひとつ大きな問題あります。それは、人間の大脳の欠陥が「知の力」を失わせる大きな要因になっていることです。人間は「大脳支配」で動く初めての動物で、人間以外では大脳の機能は持っていてもその行動は大脳の下部にある伝統的な脳が支配しています。伝統的な脳は自らが判断するより進化の途上で獲得した「本能的な判断」が優先します。したがって、社会の進歩は遅いのですが、人間以外の動物は「自分」中心ではなく「群れ」全体の幸福を優先します。

私たち人間は生まれてから25歳くらいまでの経験、知識などをもとにして大脳新皮質の神経伝達構造が完成します。そうすると、その情報だけで「正しい」ということを判断してしまいます。

むしろ大脳が発達していない野獣の、何万年という長い種族の活動の中で形成された「本能」や「反射」と呼ばれる判断方法のほうが合理的なのです。でもそれが、人間という種族に与えられた運命であり、悲劇でもあると言えるかもしれません。

また、この人間の未熟な判断機構は「暴力」を振るうには格別のシステムです。私たちは自分よりはるかに優れた筋肉や牙、反射神経を持ったライオンですら檻に閉じ込めて見せ物にすることができます。つまり、人間は暴力性が強い動物でもあるのです。

それはついに人間同士の争いで原子爆弾という破格の暴力装置を生み出してしまいました。ですが、人間の大脳の力の方向性を少し変えれば、本当に価値のある「知の力」を生み出すことができるはずです。

その最も有効な方法が「読書」です。他者の知を獲得することで、我々は暴力性を脱し、真の意味での知恵者になれるのです。

巷《ちまた》に蔓延《はびこ》るウソを見抜くため、大脳の欠陥を克服するためには「サイエンス脳」をつくることが重要であるとの確信のもとに、本著は書かれています。皆さんの思考力が磨かれ、日常生活が豊かになる一助となれば幸甚《こうじん》です。

令和六年二月吉日

武田邦彦

2限目　信仰と科学

3限目　人間社会と科学

第2部　人間の「脳」のしくみ

4限目　錯乱する頭脳とその原因

5限目　「脳」の特徴と使い方

6限目　人はなぜ死を恐れるのか

第3部　社会問題をサイエンス脳から考える

7限目　「環境問題」——失敗の本質

10限目 「寿命」と「長寿」のサイエンス

第1部　サイエンスとは何か

1限目　反証と科学

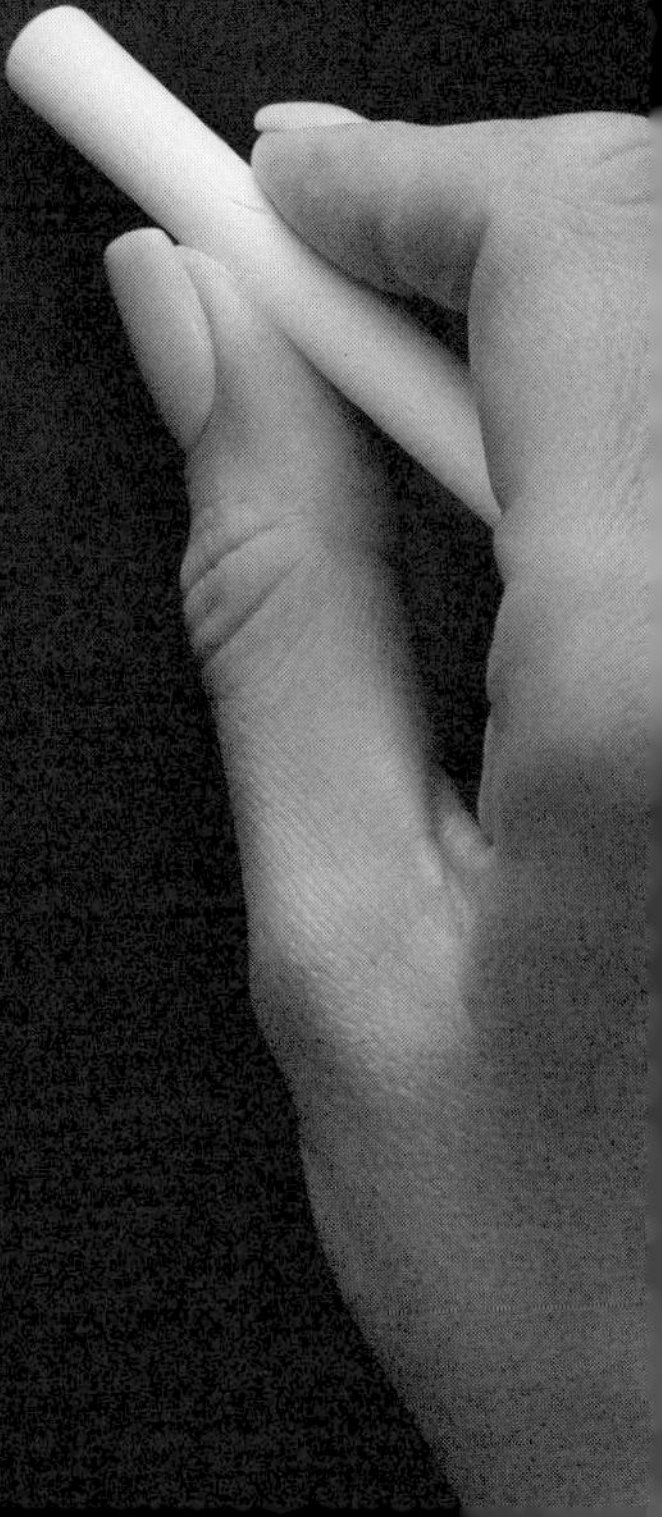

反論する人は「敵」ではなく「味方」

サイエンス（science／科学）にとって、最も大切なことは「反証」です。

この反証というのは、一般社会では「反論」と言います。そして一般社会では、反論する人は「敵」とみなされます。なぜなら一般的に、人は自分の「得（利益）」になることをベースにして議論をするので、反論する人は「不利益」をもたらす者とされる。すなわち、「敵」になるからです。

しかし科学の世界はその逆で、反証する人は「味方」です。なぜなら、科学というのは「勝ち負け」や「損得」ではなく、「真理を追究していく活動」だからです。

科学の定義については、イギリスの哲学者カール・ポッパーやドイツの哲学者フリードリヒ・ヘーゲルも「科学理論は客観的データによって反証されなければならない」と主張しています。

カール・ポッパー

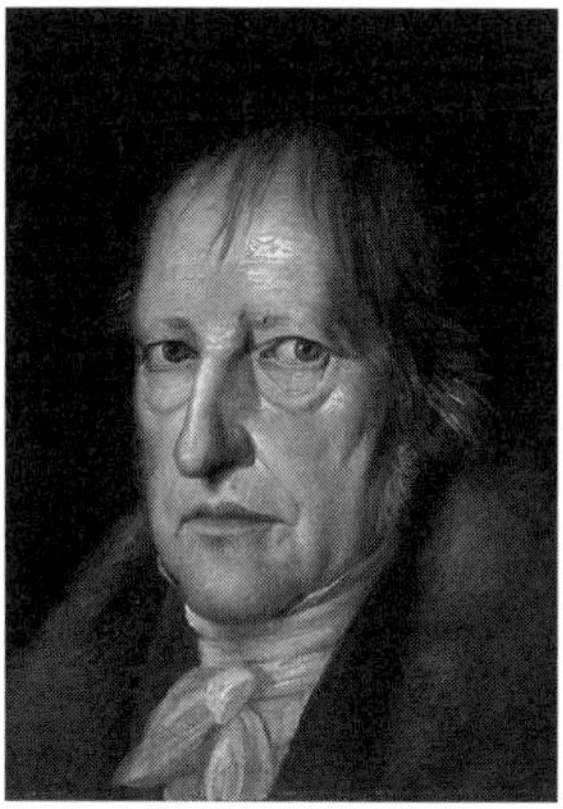

フリードリヒ・ヘーゲル

ですから、反論者は敵であるという一般社会とは違い、反対意見や疑問（反証）を唱える人が現れない限り、その発見や理論は科学にはならないということです。

科学者が集まる学会で発表するときに、私は必ずこう言います。「今日、私の研究結果を発表させていただきます。ぜひ、多くの反証を期待します」と。

なぜなら、誰からも反証がなく、議論もできずにいたら、私の発表がそのまま宙に浮いたような状態になってしまうからです。

「武田先生、そこは違うのではないか」「武田先生の発表は、データが不足しているのではないか」などと言ってもらえないと、私の発表が科学にはならないのです。

つまり、私の発表に対して第三者が反証してきて初めて、私の発表が科学理論になるのです。

サイエンス脳を身につけるためには、まず、反論されることを喜びとすることです。

それが、自分自身の「思考力」と「判断力」を磨くことにもつながります。

科学とは「事実を知りたい」という心と行為

科学は、一般的には「自然科学」と捉えられていますが、他に「社会科学」と「人文科学」があり、3つの分類に分けることができます。

「自然科学」は、物理学・化学・生物学・工学・農学・医学・薬学などのことで、自然を相手にします。

「社会科学」は、法学・経済学・社会学・教育学・商学などのことで、社会を相手にします。

「人文科学」は、哲学・文学・歴史学・言語学などが属します。

ただし、これら3つの科学に関して、英語では「自然科学」は「ナチュラルサイエンス」と言い、「社会科学」は「ソーシャルサイエンス」と言うのですが、実は「人文科学」

「科学」とはどの範囲か？

自然科学 物理学・化学・生物学・工学・農学・医学・薬学など

社会科学 法学・経済学・社会学・教育学・商学など

人文科学 哲学・文学・歴史学・言語学など

は「～サイエンス」とは言いません。「人文科学」をサイエンスの範疇《はんちゅう》に加えるか否かは、国際的には議論があります。

科学とは「真理を追究していく活動」であり、「事実を知りたいという心とその行為」です。

科学が成立したあとは、それが損得になったり、勝ち負けになったりします。しかしそれは「事実を知りたいという心と行為」とは別次元のことです。

たとえば、政治家や官僚などが科学的なデータを自分の都合で利用したり、しなかったりしますが、これはサイエンスとは言えないのです。

科学者として大切なことは、前項でお話しした「反証」です。ですから私の発言は、ほとんど反証だと思っていただきたい。「武田先生は、そういう意見なんですね」と、いつも私の意見（自説）だと思われてしまうのですが、その多くは反証しているだけなのです。

たとえば「法学」に関して、「憲法を改正しなくても相手国を攻撃できる」と私が言っているのは反証です。

なぜなら、日本には交戦権がないと言われていますが、もともと主権国家には自国民を守る権利というものは自然に備わっています。日本が独立国である限り、日本政府が日本国民の命を守ることは憲法の文言よりも上にあるからです。

「経済学」において、「日本国民に借金はない」と私が言っているのも反証です。これは財務省に対する反証です。そもそも「日本の借金」と言われているものは、「日本政府の借金」です。その政府の借金の多くは、国債で賄われており、国債を購入しているのはほとんどが日本国民ですから、国民側が資産を持っているわけです。

「北極の氷が溶けても海水面は上がらない」「CO2では温暖化しない」「リサイクルは資源を浪費する」「朝日新聞は新聞社ではない」なども反証の例です。ただ、私がこう言うと「武田は科学者なのに非科学的だ」と批判されますが、これらはみな科学的な反証なのです。

もちろんデータや根拠を示すことができなければ、それは反証ではなく、ただの意見（自説）になります。ですから、私はいつもデータやその根拠を示して発言しています。仮に自説を言う場合は、「これは自説です」と一言つけ添えるように心がけています。

もうひとつ例をあげると、「タバコと肺がんはほぼ無関係」という私の反証です。「タバコを吸うと肺がんになる」ということが社会的に認知されていますが、それは肺がんの人を調査したらタバコを吸っている人が多かったという、国立がん研究セン

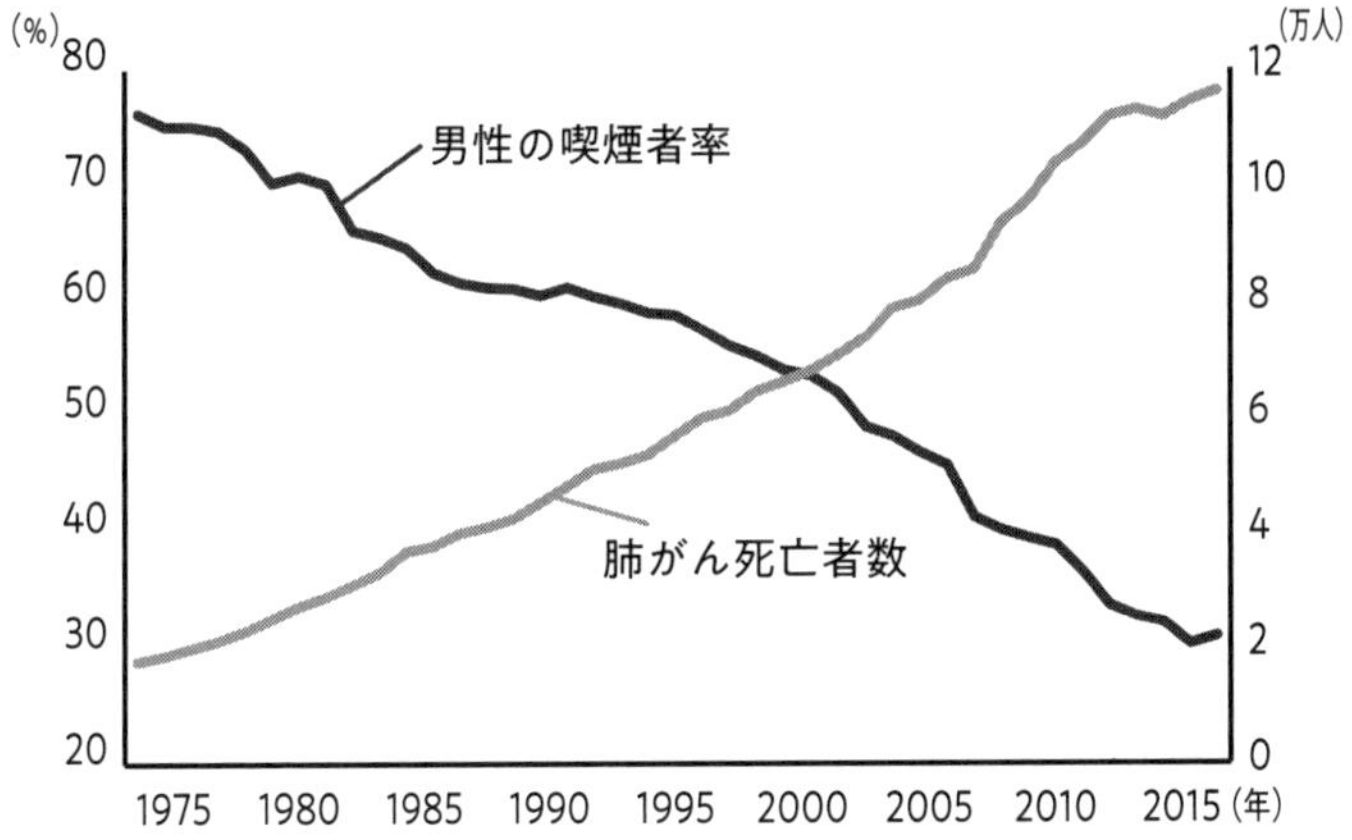

出典１：日本専売公社、日本たばこ産業株式会社による調査をもとに作成
※「全国たばこ喫煙者率調査」は2018年調査をもって終了しています

出典２：国立研究開発法人国立がん研究センターの数字をもとに作成

ターのデータがあるからです。

しかし、データというのはいろいろな角度から見なければいけません。たとえば、日本たばこ産業の統計データを見ると、1975～2015年の40年間で男性の喫煙者率は約75％から30％へと激減しています（上のグラフ参照）。女性の喫煙者は2割弱であまり変化がないとされてます。

それにもかかわらず、肺がん死亡者数は4倍以上に増えていますから、「タバコが肺がんの主要な原因ではない」と言えるわけです。

この統計からは、年齢が上がるほど発がん率が高くなることが読み取れますので、

「肺がんの増加は、高齢化が主な原因である」と反証できます。

さらに言うなら、タバコには嗜好性や精神的安定などのメリットもあります。酒なども健康に害があるのに、タバコだけを社会的に過度に制限して、幾度も値段を上げたり、喫煙者を追放したりするのは誤りではないでしょうか。

このようなことを私が言うと、「武田は何を言っているんだ。そんなのデタラメだ」と多方面から批判されます。ですが何度も言うように、これはデータの見方が違うだけで、私は反証しているにすぎません。

私の反証に対して誰かに再反証してもらいたいのですが、残念ながら誹謗中傷《ひぼうちゅうしょう》の声しか聞かれません。様々な反証が飛び交い、議論し合ったあとに「科学」になるのです。ですから、タバコに関してはまだ科学的な決着はついていないと言えるでしょう。

科学が「社会」に負ける悲しい現実

一般社会は常に科学者の活動を誤解しています。私は一般社会と科学の違いというものを、我が身で体験しました。時には脅されることもあり、家族と別々に暮らさなくてはならないというようなことがずっと続いてきました。

この社会からのバッシングについて、「ダイオキシン問題」を例にお話ししようと思います。

今の若者はダイオキシンという単語すら知らない人が多いようです。以前、大学の講義で私が「ダイオキシンはたいした毒ではない」という話をしたら、学生が「先生、ダイオキシンって何ですか？」と言うので、大変驚きました。

ダイオキシンは、1995年からの約10年間、テレビ等で社会問題としてかなり報道されました。「ダイオキシンは毒物である」という報道が連日繰り返されていたのですが、実はその当時はまだきちんとしたデータは出ていませんでした。

そこで、私は1999年から2001年までに出たダイオキシンに関する論文をいろいろと読み込んでみました。そして、わかったことは「ダイオキシンは人間に対する毒性が非常に低い」ということでした。

また、ダイオキシン騒ぎに便乗した書籍の中には、図表に動物のデータを示しながら、本文では人間が被害を受けたように書いてあるものまでありました。多くの人は、本の中に専門的な図表が掲載されていても、細かすぎてよくわからないので主に本文を読みます。それを利用して、「ダイオキシンは人間にとって猛毒である」と錯覚させていたのです。

この科学を無視した騒ぎに苦言を呈《てい》した学者もいます。東京大学医学部の和田攻《おさむ》教授は、「ダイオキシンには人間への毒性はほぼない」と確信して発言をはじめたのですが、世間から猛バッシングを受けてしまいました。

2001年に和田教授は『ダイオキシンはヒトの猛毒で最強の発がん物質か』という論文を発表されましたが、その中で「無力な科学と行政・社会問題」として、《ダイオキシンが人々に不安と恐怖を与えている原因は、科学の力の弱さにある》と記しています。

同年8月には、このダイオキシンを題材にした映画『いのちの地球 ダイオキシンの夏』が公開されましたが、文部科学省選定、優秀映画鑑賞会推薦、東京都知事推奨作品でもあったので、当時、多くの児童が観たと思います。

この映画は、イタリア北部ミラノ郊外のセベソ地区で実際に起こったダイオキシン事故の話を通して、公害の恐ろしさを説く社会派アニメーション作品です。多くの住民に被害を及ぼしたダイオキシンの恐怖に立ち向かっていく少年少女の活躍を描いています。

ですが、実際にはこのイタリアの事故でも人間への被害はほとんどありませんでした。この映画は、ダイオキシンが人間に及ぼす害についてのデータがまだ整理されていないときに制作されたものです。

このような映画を観ると、子どもたちは洗脳されてしまい、間違った情報を信じたまま大人になってしまうので問題です。

同様の例としては、20年ほど前に盛んに報道された「シロクマがいなくなる」という話があります。当時、NHKが子ども向けの「みんなのうた」で『ホッキョクグマ』という歌を放送しました。北極の気温が上がってシロクマが「暑いよ、暑いよ、氷の国を返して」と叫ぶ、というミスリードするような歌でした。

NHKは質の悪いウソを流すものだなと思っていたら、後日、ある投稿を目にしました。

「シロクマさん可哀そう」と、3歳の女の子が泣いていたというのです（投稿したのは父親）。

非科学的なウソで子どもの心を傷つけるなんて言語道断です。

なぜ、世の中は科学的な事実に目を向けないのでしょうか。

それは、和田攻教授が嘆いていらしたように「科学が社会に負ける」からです。

つまり、本来、科学は独立していなければならないのに、社会の圧力に科学者が押されて「反証なし」に社会が推したものを認めてしまう。そして、あたかも科学的な事実があるような雰囲気を醸し出し、あるひとつの方向に突き進んでしまうのです。

もし日本社会が反証を受け入れるようになれば、日本は再び「世界一」を奪還できると思います。なぜなら、どこの国もきちんとした反証をあまりしていないからです。

優秀な科学者や知識人は「反証の大切さ」を理解しているのですが、残念ながら実社会ではまだ受け入れられていないようです。

2限目　信仰と科学

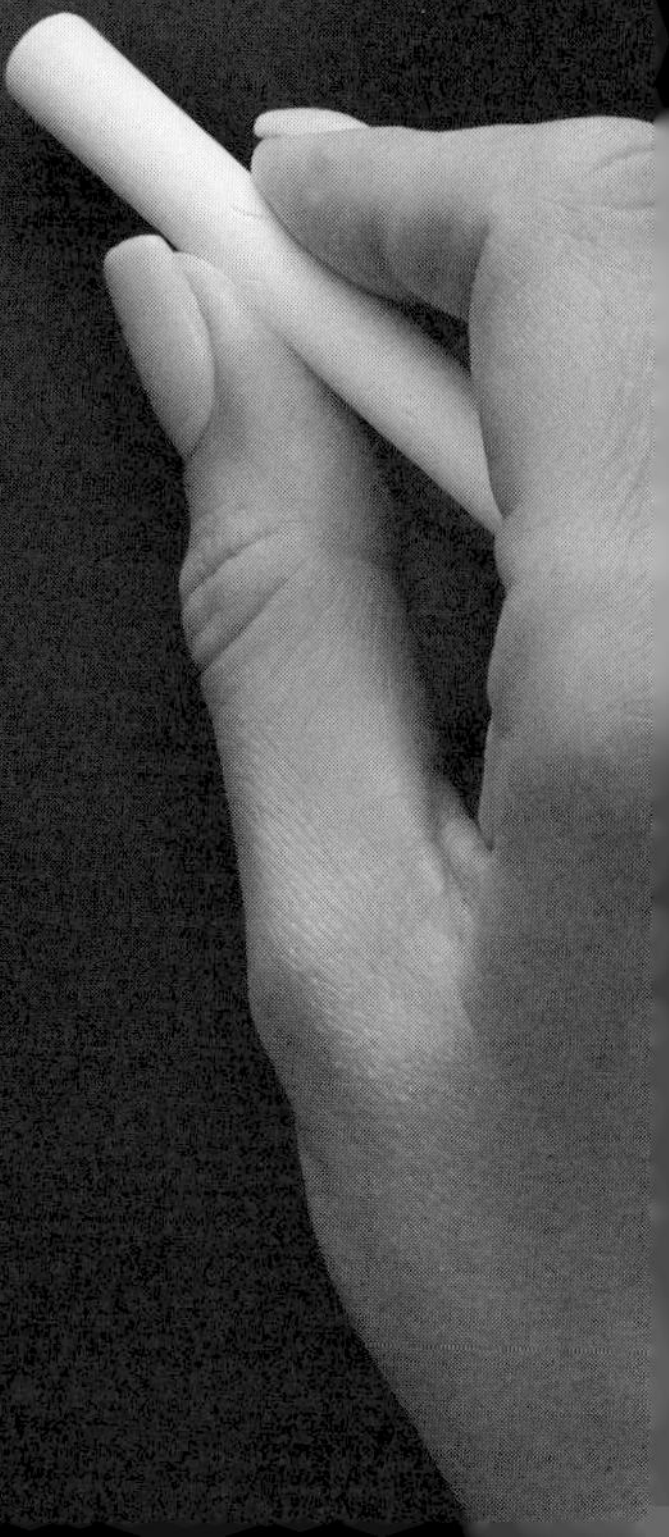

真実を語るには、勇気がいる

「サイエンスとは何か」を考察するために、2限目はダーウィンとガリレオを補助線にお話ししていきたいと思います。


チャールズ・ロバート・ダーウィンは、1809年生まれの自然科学者（地質学者・生物学者）です。種の形成理論を構築した進化生物学を発表し、すべての生物種が共通の祖先から長い時間をかけて、進化したことを明らかにしました。

ダーウィンは幼い頃から虫好きで、まさに「虫オタク」でした。オタクの功績で、世の中は進歩するということが多々あります。

ダーウィンは、イングランドの西部の裕福な家庭に生まれました。父親は医師で、ダーウィンは家業を継ぐために医学校に通うことになります。

しかし、ダーウィンは医学校に進学してもなかなか勉強に身が入らず、何も身につきませんでした。医学の道を断念したあと、ダーウィンはケンブリッジ大学で神学を学びはじめますが、ここでもとくに学業に熱心というわけではなく、何をやってもうまくいかなかったようです。

大学卒業後、ダーウィンは母校の教授の紹介でビーグル号という船による世界一周の探検調査の機会を得ます。最初、父親はこれに猛反対したのですが、最終的には折れてくれたそうです。このとき、父親が許可しなかったら「進化論」は世に出てこなかったかもしれません。

チャールズ・ロバート・ダーウィン

虫好きのダーウィンは世界中を旅している間、虫の動きを観察し続け、記録をつけていきます。そして、「生物というのはだんだん進化していく」ということに気がつくわけです。

ダーウィンは、すべての生物は変異を持ち、変

ダーウィンを揶揄する風刺画。ダーウィンは批判にさらされた

異のうちの一部が親から子へ伝えられ、その変異の中には生存と繁殖に有利さをもたらすものがあると考えました。そして限られた資源を生物個体同士が争い、存在し続けるための努力を繰り返すことによって「無目的に起こる変異（突然変異）」があると考えたのです。いわゆる「自然選択説」です。

ところが当時のヨーロッパでは、「あなたは人間、あなたはキツネ、あなたはハト」というふうに生物すべてを神様がつくっているという考えが主流でした。ダーウィンはそれに対して「いや違う、人間は自らだんだん進化していき、そして今の人間になった」というまったく新しい概念を生み出したのです。

ダーウィンのこの考えをまとめた書籍が『ON THE ORIGIN OF SPECIES（種の起源）』です。前例にないものを発見し、思考する。これこそ、科学の素晴らしさでしょう。

しかし、「人間は猿から進化した」というダーウィンの進化論は、社会から猛烈な反撃を受けます。

ダーウィンは学者としては素晴らしかったのですが、少し気が弱くて、社会とは戦えない人でした。そんなダーウィンが自分の研究を進めることができたのは、彼の妻であるエマ・ダーウィン（旧ウェッジウッド）が社会の攻撃から彼を守ってくれたからです。

また当時、人間は猿だとする風刺画が描かれました。それは、レストランにゴリラが正装して入ってくる画です。

ゴリラはダーウィン流の考えでは自分たちの祖先になるわけですから敬《うやま》わないといけません。正装してレストランに来たゴリラに対して「出て行け」とはもちろん言えません。そこでレストランのボーイは驚きながらも、「ゴリラ様のおなり！」と叫んでいる——そんな風刺画なのです。

エマ・ダーウィン（ダーウィンの妻）

もちろん当時のイギリス人には、この風刺画も受け入れられませんでした。

世間からの猛反発に対して、ダーウィンは「真実を見るには勇気がいる」と言っています。私は若い頃にこの言葉を聞いてとても感激しました。

周りから非難を受け続けることは本当に堪《こた》えます。それでも、科学者たるもの真実から目を背けることなく、ダーウィンのように自身の研究結果を発信していかなければならないのです。

人間の概念はとても小さなもの

1925年にアメリカ合衆国テネシー州デートンの高校教師であるジョン・スコープスが、ダーウィンの「進化論」を生徒に教えたことで告発され、大きな話題となった裁判がありました。

ジョン・スコープス

当時、アメリカの南部は熱心なキリスト教徒が大多数を占め、「人間は神様によってつくられた」と子どもたちに教えていました。テネシー州の教育の場では進化論を教えることを禁じる州法がありましたが、スコープスは進化論を勉強してそれを子どもたちに教えたのです。

「そんな異端なことを教えてはいけない。その教師は辞めさせるべきだ」と非難が相次ぎ、州法に違反したとしてスコープスは告発されてしまいます。

結局、スコープスは裁判で負け、有罪判決を受けました。それでも、結果的にこの裁判によって進化論は大きな注目を浴びることになり、スコープスはある意味で目的を果たしたことになりました。

これに似た有名な事例があります。ガリレオ・ガリレイの「地動説」です。

ガリレオ・ガリレイ

ガレリオ・ガリレイは17世紀のイタリアの自然哲学者・天文学者・数学者ですが、その頃オランダで望遠鏡が発明されました。

ガリレオはすぐに望遠鏡を手に入れて天体観測をしました。望遠鏡で天体を見てみるとどうも動きがおかしいのです。

当時は、地球が宇宙の中心で他の天体が地

球の周りを回っているということが当たり前のように信じられていました。しかし、ガリレオはそうではなく、地球は火星や土星などと同じように太陽の周りを回っているということに気づいたのです。

これ以前にもニコラウス・コペルニクスが「地動説」を提唱していましたが、証拠が不十分ということもあって受け入れられていませんでした。しかしガリレオは、様々な検証結果を示して「地動説が正しい」と提唱したのです。

ニコラウス・コペルニクス

ご存じのとおり、ガリレオの「地動説」は、宗教裁判にかけられます。

「宗教裁判のガリレオ」という画がありますが、「憔《しょう》悴《すい》しきった宗教裁判のガリレオ」と言われるくらいに、ガリレオはこの宗教裁判ですっかり憔悴してしまいました。

この裁判の直後にガリレオが床に倒れてつぶやいた言葉が、あの有名な「それでも地球は回っている」です。

ガリレオは私が尊敬している科学者のひとりですが、「それでも地球は回っている」という言葉に関しては、一般論とは違う角度で考えてみたいと思います。

私が科学者として常に悩み苦しんできたことのひとつに、自分の頭でいくら考えても「真理に到達しない」ということがありました。

若い頃の私はがむしゃらに真理を追究していました。それでも、どんどん真理から遠ざかっていくような気がして、苦悩していたのです。ところが42歳のとき、私は「もしかしたら、この考え方自体が違うのではないか」と思ったのです。

「宇宙の真理」というものがあるとします。

宇宙の真理はとても大きな円で、私たちが知っている真理（人間の概念）というのはこの大きな円の中に位置するとても小さな円でしかありません。

私たちが理解している範囲というのは宇宙の真理のごくわずかなものです。ですから、私たちが考えることは当然間違っている可能性が高い。ですが人間というのは、最初に教わった理論が正しいと思ったり、真理だと錯覚したりする「癖」があるのです（詳細は後述）。

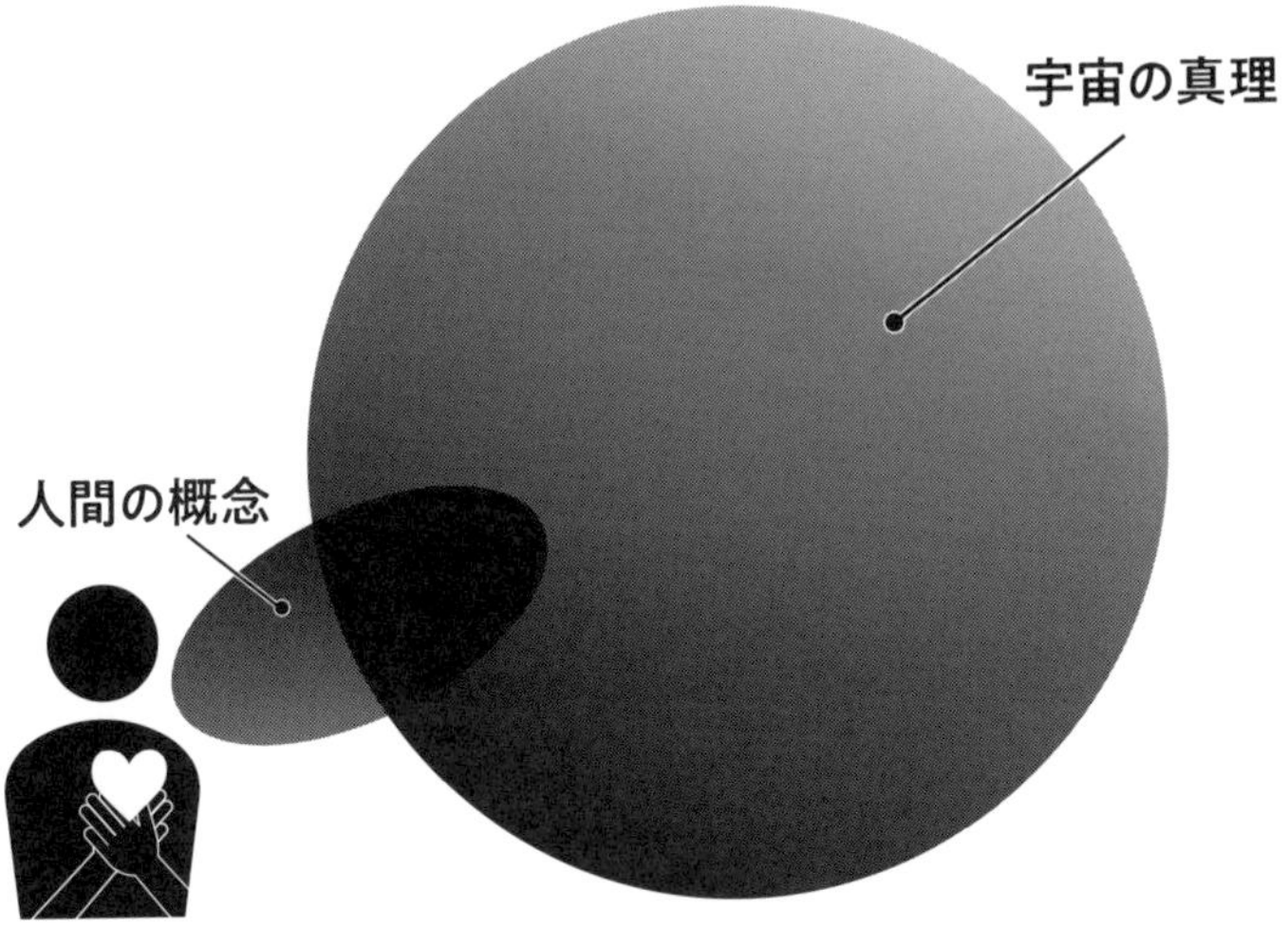

「それでも地球は回っている」というのは、人間ガリレオというとても小さな円の中で言っていること。観測結果がそうだからといって、果たしてそれが本当に正しいと言えるのだろうか。正しく言うならば「それでも地球は回っている」ではなく、「私の観測では地球は回っていた」としなければならないのではないか——。

たとえば、平安時代の紫式部に飛行機が飛んでいるところを見せて「あれは何ですか？」と訊ねたら、「天狗」もしくは「もののけ」と答えるでしょう。

それはなぜかというと、私たち人間というのは、自分の頭の中にあるものの中から答えを探そうとするからです。

私たちが飛行機を見て、飛行機だと言えるのは「飛行機という存在」を知っているからです。紫式部の頭の中には飛行機という存在はないので、「空を飛んでいるなら、天狗か、もののけではないか」としか認識できないのです。

つまり、人間の知識や知恵というのはとても小さいもので、人間の判断というのは間違えることが多いということです。

もうひとつ例をあげれば、現代の私たちがUFOを見たとしても「あのような動きをする動力はない、だからUFOなんて存在しない」と思ってしまいますが、私たちの知らない動力が存在しているかもしれないのです（ここでの「UFO」は地球外生物による宇宙船の意）。

このような考え方をするようになってからは、私はどんなに奇妙なものを見ても、信じがたい話を聞いても「まだまだ自分の知らない世界がある。今は理解できなくても仕方がない」と思うようになりました。すると不思議なことに、実験や研究もはかどるようになったのです。

自分の概念とは小さいもの。だから、科学者が「これが正しい」というのは間違いで、傲慢《ごうまん》なのです。

科学とは「真理を追究する活動」ではありますが、科学者は常に謙虚でなくてはなりません。

宗教があるから、科学ができる

科学というのは、今の人類が知らない領域へ出ていく作業でもあります。ただ、人間は行き先がわからないと怖くて先に進むことができません。たとえば、地平線の先が滝のようになっていると考えられていた時代には、遠くまで航海することは恐怖でしかないでしょう。ですが、神様が「地平線の果ても海でつながっている」と言ってくれれば安心して進むことができます。

科学者が何か新しい発見をするということは、神の領域に少しずつ少しずつ踏み込んでいくということです。そして、私たちは一歩一歩しか進めません。

科学というのはガリレオのように望遠鏡を覗いて記録して、観察や実験を繰り返すことです。ですが、ブッダやイエスなどのような人が「宇宙の真理はこうなっていますよ」と導いてくれないと、なかなか先に進むことができないのです。

宗教と科学は水と油で対立するものだと思っている人が多いようですが、人間の知恵が未熟な故に、神様の知恵までたどり着いていないというだけのことです。

一見、科学とは関係ないと思う仏典を読んだり、教会に行って聖書のお話をきいたりするのは、自分の進んでいく道筋が見えてくるということにつながります。

実際、世界の優秀な科学者の中には信仰心が篤い方が多数いらっしゃいます。

私は、50歳を前にして「科学というのは神様がいて初めて成立する、宗教があるから科学ができる」ということに気づきました。神様や宗教という表現に抵抗がある方は、これを「宇宙の真理」と置き換えてみてください。このことに気づくことができて、私はとても謙虚になれましたし、私の人生は非常に豊かなものになりました。

1930〜1950年代半ばまでソビエト連邦ではスターリン主義が支配し、2400万人以上の犠牲者を出すことになりました。また、ポル・ポト政権時代のカンボジアでは、600万人の国民のおよそ60％にあたる、350〜400万人が殺《さつ》

ポル・ポト

戮《りく》されたのです。

そして同様のことが、現代のウイグルやチベットなどでも行われています。

なぜこのようなことが起こるのでしょうか。

これらはすべて共産主義思想が原因です。共産主義は宗教を否定していますが、宗教を否定するということは、「我こそ神である」と言っているに等しいのです。

共産主義者は唯物論者を自称してはいますが、実は自分が神様なのです。つまり、「自分の頭で判断したことが正しい」と信仰している。だから、自分の考えと違う他者を平気で攻撃するのです。

「自分の頭で判断したことが正しい」と思うことはとても危険です。先述したように、人間の知恵は未熟だからです。

これは、政治の世界も科学の世界もまったく同じです。

ヨシフ・スターリン

自分の考えは神様（宇宙の真理）よりもずっと小さい、ということを前提に行動する、決断することがとても重要です。

このことがわかっていたならば、おそらくヨシフ・スターリンは２４００万もの人を虐殺できなかったでしょう。

宗教を信仰するかどうかは別にして、科学者もこのことを理解していないと科学が誤った方向へ進むことがあります。

私たち人間や社会というものはまだまだ未完成であり、脳も不完全であるということを理解していないと、政治も科学も間違ってしまうのです。

3限目　人間社会と科学

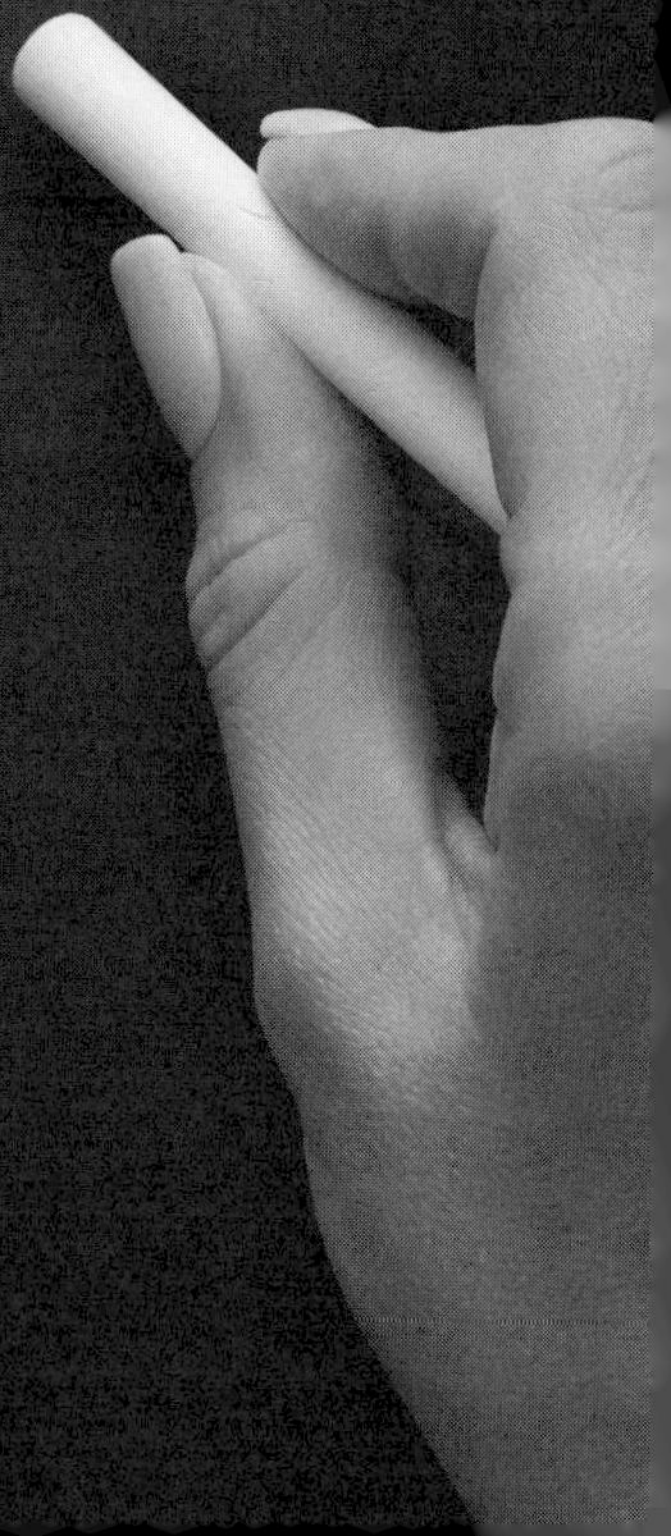

「交通事故」を解決できるのは科学しかない

「サイエンスとは何か」を考察するために、3限目は科学と人間社会の関係性についてお話ししていきたいと思います。

現在の人間社会ではクルマを所有している、または運転できるかどうかで生活の質が大きく異なっています。とくに地方では、クルマがないと日常生活にも支障をきたします。

クルマがあれば行きたいところへいつでも行けますが、クルマのないお年寄りなどは雨が降っていたら買い物に行くこともできません。自由に出かけることもできないという人が同じ社会の中にいてもいいのでしょうか。

科学を上手に利用すれば、人間社会の格差をなくすことも可能です。たとえば、全自動運転の開発が進み、社会に普及すればこういった格差は解消されます。

誰もがスマートフォンなどで全自動運転のクルマを呼び出すことができ、それに乗って買い物に行く。目的地で乗り捨てると、次のお客さんがまたそれを利用する。このようなシステムが一般的になれば、クルマを所有したり、運転したりする必要はありません。維持費も駐車場もいりません。おそらく電車賃並みの料金で利用できるようになるので経済的です。

現在、全自動運転の開発は第5世代に入りつつあり、こういった自動運転システムができ上がるにはまだ10年以上かかりますが、第6世代になる頃には技術的にも問題なくできるようになっているはずです。

宇宙空間で太陽光による発電をし、それを地上の受信局に送り、中継局から各自動車に運転制御を行えるものやエネルギーを供給するものを送信できるような研究も進んでいます。

そして、自動運転によって交通事故も解決できるでしょう。運転手がどんなに気をつけていても、交通事故を回避することは難しい。結局、交通事故をなくす最終的な解決は、科学がしなければならないのです。

科学によって、人間社会の明るい変化が期待できます。

100年後の人間社会を考えてみましょう。

自然との関係は「動物の住むところを限定する」というこれまでの考え方から、「人間がドームの中で生活する」という考え方に変わり、「ドーム都市」という大きなお城のような中で人間が生活し、ドームの外が田畑、林野、雑木林などで、そこは動植物の領域になります。

このドーム都市には天井があり、免震構造で、冷暖房つき、雨風もしのげて、空気もキレイで、快適な生活環境が保たれています。天上からクルマも人もGPSで管理されているので、交通事故も犯罪もありません。そして、エネルギー消費は現在の10

分の1になります。安心、安全が確保され、住居の問題も解決されるという生活が保証されるのです――。

これは夢物語でしょうか。

今から100年前の1920代から比較すると、すでに私たちは当時の人々の想像をはるかに超えた社会に住んでいます。そして100年後はさらなる進化を遂げ、私たちの想像をさらに超えた社会になっていることでしょう。

「徐々に衰える」から「ピンピンコロリ」へ

科学の力によって、人間の寿命はのびました。医学の発達や衣食住などの環境が整備されたことが大きな要因です。

日本を例にしてみると、1950年頃の統計人口は逆ピラミッド型でしたが（次ページのグラフ参照）、現在はまったく違う形になっています。50歳以上の人口が多くなり、50歳以上と50歳以下がほぼ同じになります（58ページのグラフ参照）。

逆ピラミッド型の場合は、40歳になったら同年代の約半分が亡くなっているということになります。よく、逆ピラミッド型の時代のほうが良かったと言う人がいますが、その人はその時代に生きていて、自分が40歳まで生きられると思っているのでしょうか。

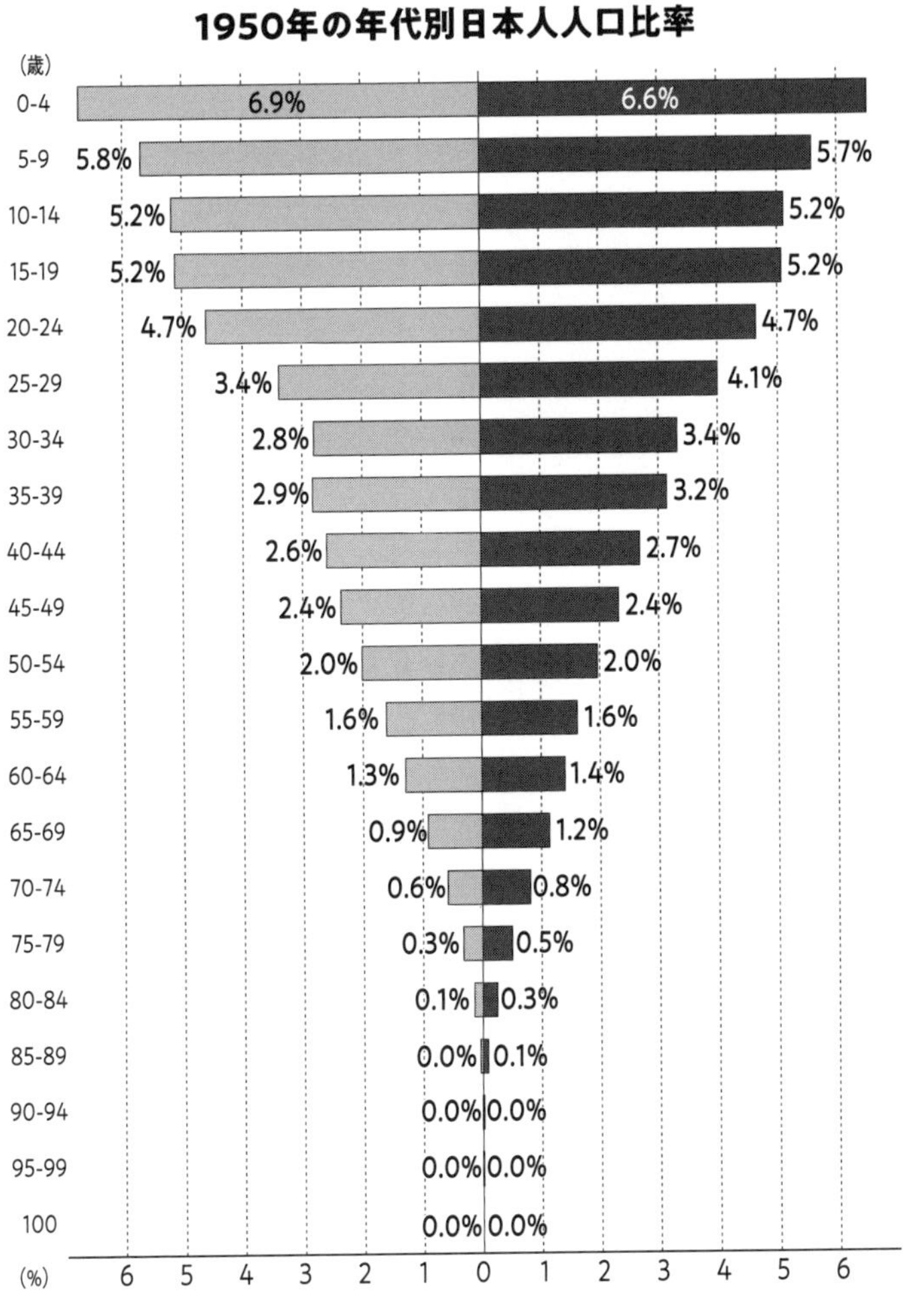

出典：国立社会保障・人口問題研究所ホームページをもとに作成

2020年の年齢別日本人人口

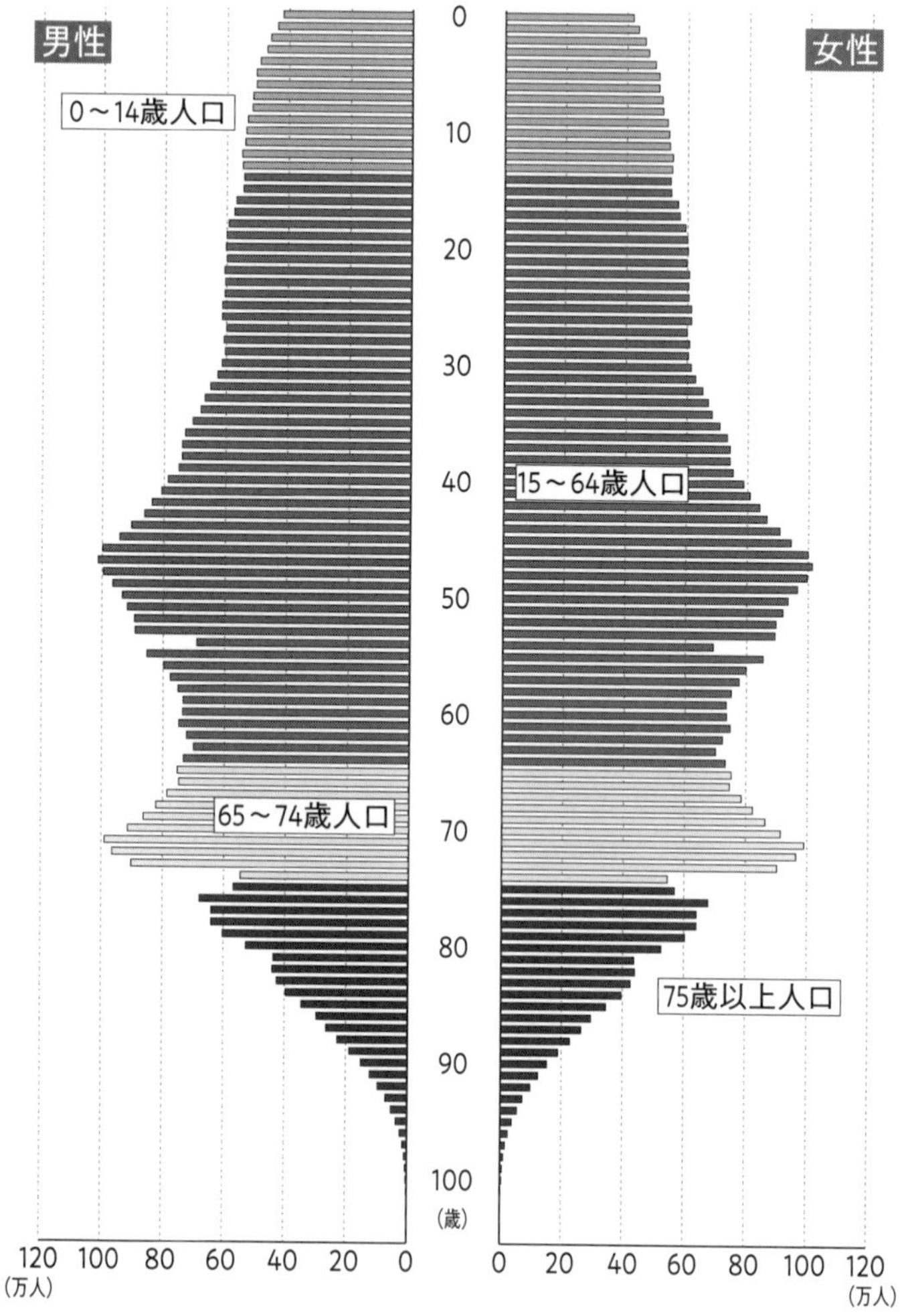

出典：国立社会保障・人口問題研究所ホームページをもとに作成

今から100年前の日本人の平均寿命は男女ともに43歳でした。なぜなら当時は40歳くらいになると、男性は重労働で身体がボロボロ、女性は子どもを5人ぐらい産んでいたので、出産と育児で身体がボロボロになっていたからです。

それから科学や社会が徐々に発展し、誰もが快適に過ごせるようになってきました。これは非常に素晴らしいことです。

高齢者が多くなると「年金はどうするのか」と言う人がいますが、それは政治の問題でしょう。高齢になっても、現代の日本人の多くは仕事も十分にできます。ひと昔前の日本人とは違い、70代、80代になっても心身ともに元気な方がたくさんいます。

とはいえ毎日、高齢の方がお亡くなりになっています。誰もがいつかは死をむかえますが、それならピンピンコロリで逝きたいものです。

「病気に苦しみながら徐々に衰える」から、「ピンピンコロリ」へ。適度な運動や食生活、時には医療に頼りながらストレスのない生活を心がければ、今の日本であればピンピンコロリの社会を実現できると思います。

根本原因を追究できれば、罪も功となる

「公害」を補助線として、科学と人間社会の功罪にも触れておきましょう。

まず、三重県の「四日市ぜんそく」です。

四日市ぜんそくは、1950年代末から1970年代にかけて問題化した戦後日本の公害問題です。

三重県四日市市の四日市コンビナートから発生した二酸化硫黄が原因で、同市塩浜地区を中心とする四日市市南部地域・海蔵地区などの四日市市中部地域から南側の三重郡楠町（現：四日市市）にかけて発生し、1959年から1972年にかけて政治問題化しました。

1960年代の四日市では、工場の煙突から山のように煙が立ち上っていました。

19世紀はこのような煙は工業発達の印だったのですが、この煙によってぜんそくの被害が起こっていたのです。

四日市の方はもうぜんそくの話は聞きたくないと思うかもしれませんが、ここでは四日市が公害駆逐として成功した例として解説します。

煙まみれだった1960年から40年経った2000年には、四日市の工場からの煙はまったく見えません。そしてなんと、工場の生産量は公害発生時の13倍以上になったのです。

さらに、空気汚染は1000分の1以下になり、非常にキレイな四日市になりました。普通の感覚であれば、工場の閉鎖、もしくは稼働を減らすなどして公害を減らすようにするはずです。しかし当時の四日市の関係各所、そして通産省は煙の中の有毒物を根元から取り除くことが最も重要だと判断しました。煙が煙突に至る前に処理装置をつけ、脱硫技術や脱硝技術、活性汚泥技術などを駆使して不備を改良し続けました。

その結果、公害を減らしながら企業業績を上げ、技術に要する資金繰りにも成功し、40年かけて危機を乗り切ることができたのです。

もし、四日市が1960年代に工場を閉鎖していたら、公害は改善されたかもしれませんが、地域産業の発展はなかったでしょう。

これは、公害を駆逐した世界でも珍しいケースと言えましょう。

次に、熊本県水俣《みなまた》市の「水俣病」です。水俣病は熊本県八代海沿岸および新潟県阿賀野川流域において発生した公害病のひとつです。高度経済成長の中で発生し、1956年5月に公式発表されました。

当時、水俣病は社会的な大問題となり、付近の市民の不安や怒りも頂点に達し、水俣市は工場を縮小しました。その結果、当該企業の資金がどんどん減っていき、訴訟もあり、公害対策もできなくなっていきました。

工場が縮小されたことで公害の心配は少なくなりましたが、水俣市の産業も衰退していきます。水俣市の工場関係者は、賃上げもされず、次々に解雇される、という状況になったのです。

もちろん、当時の水俣市民の不安や怒りは当然です。しかし公害対策というのは、工場の縮小などで解消しようと思ったらほぼ失敗します。

水俣市の場合は、水銀に代わる触媒を開発するとか、水銀を完全に取り去るとか、まず根本原因をつきとめ、改良するべきでした。社会全体も、ことさらに不安を煽るのではなく、技術開発のほうへ関心が向かっていたらどうなったでしょう。水俣市も四日市と同じように産業が発展し、結果的に住環境も良くなったと思います。

現在の科学は未完成ですから、予期せぬ結果が生じる可能性は常にあります。当然、公害のような実社会に害をもたらす場合は、即座に対処しなければなりません。

しかしここで注意したいのは、不安に負け、問題に蓋をしてしまえば、科学の発展はないということです。そして、技術革新が期待できなくなりますから、人間社会自体も衰退していくのです。


水俣病の例は、今の日本の特徴と言えるかもしれません。なにか社会的な問題が起きると、根本原因を探ることなく、曖昧にしてしまう。または、誰かをスケープゴートに仕立て上げ、一斉に非難して溜飲を下げる。日本が長く低迷を続けているのは、科学的なトライ&エラーから逃げているからです。

さらに、マスメディアが人々の不安を煽るような報道をしますから、国民の多くは冷静な判断ができなくなります。

また、今の日本の教育は理系と文系に分かれていて、国のトップでも数学ができない、科学ができないという人が大多数です。国を主導する人は、理系の基礎知識もなければダメでしょう。

これは単に学校の勉強ができる、できないの問題ではなく、歴史はわかるけれど科学はわからないというアンバランスな人が国のトップに立ってしまうと、そのときの世論に流され大事な選択を誤ることがあるということです。

日本人を劣化させた「後ろ向きの考え」

ＯＥＣＤ（経済協力開発機構）の統計データから、ＧＤＰの国際比較をしてみると、１９９０年頃の日本のＧＤＰは、アメリカに次いで2位、中国には圧倒的な差をつけていました。ところが２０１０年代には、日本のＧＤＰは停滞し、中国に抜かれます。さらに２０２３年には、ドイツにも抜かれてしまったのです。

この原因は、日本人は１９９０年に社会的な問題を技術で解消しようとしないで、不安を増幅するほうに走ってしまったことにあります。

とくに環境問題とされた地球温暖化やリサイクル、エコロジーなどに注視してきましたが、結局、社会の発展にはほとんど効果がありませんでした。これは先述した四日市方式ではなく、水俣方式だったからです。

四日市方式である「技術の進歩」で社会問題を克服しようとしたのがアメリカでした。

アメリカは世の中の変化にも負けず、ＩＴの分野に進出。１９９０年代に、グーグル（Google）、アマゾン（Amazon）、フェイスブック（Facebook）、アップル（Apple）、いわゆるＧＡＦＡが創業しました。

たとえば、携帯電話が発達すると、エネルギーの消費量がグッと減ります。資源的に言えば、電話線がいらなくなったおかげで、銅の消費量がかなり減ったのです。

当時は、銅が将来的に枯渇すると言われていて、中国や中央アジアなどの国土の広い国に電話線を引いたら足りなくなるという計算がありました。銅がなくなると騒いでいた頃、賢い人は携帯電話にすれば銅がいらないと気づいたのです。

現在はスマホが普及し、マイクロウェーブ送電となりました。多くの国や地域で、電話線は必要なくなり、電力線もいらなくなってきました。ですので、銅が枯渇するという話はもう聞かれません。

中国は発展途上でしたが、アメリカ同様ＩＴの分野を急激に発展させました。そして、中国は日本を抜いて、今では日本が届かないぐらいの成長を遂げました。これは中国が大国だからではありません。技術革新によって問題を解決していったからです。

日本人の平均年収は、1995年頃は国民1人あたり約450万円でした。現在でも変わらず、約450万円です。この30年間で日本人の年収はまったく増えていませんが、アメリカは3倍、中国は5倍以上に伸びています。

1990年の時点で判断を間違えなければ、今の日本人の所得は1000万円を超えていたでしょう。ですが残念なことに、日本ではリサイクルやエコロジーを呼びかけ節約を推進、同時に人々の不安を煽る社会になってしまい技術革新がないがしろにされてしまったのです。

「ゴミが溢れる」「環境ホルモンが拡散している」などはすべてウソですが、仮にそうだとしても、その解決方法は根本原因をつきとめ、技術革新するしかありません。

日本社会に充満した不安に惑わされた政府、専門家、そしてそれを煽り続けたマスメディアの責任はとても大きいでしょう。結果的に、私たち日本人は大損害を受けてしまったのです。

気をつけてほしいのは、不安を煽る人や心が暗い人にはついていってはいけないということです。

未来は明るく開かれているのに、暗い気持ちになったり、後ろ向きになったりするのは、「サイエンスの知識不足」や「歴史観がない」ことが原因です。

繰り返しますが、とくに社会を主導する人には責任感と倫理観はもちろん、科学的な素養が必要不可欠です。もしその選択が間違っていたら社会に大きな被害を与えてしまうからです。

何かで問題が発生して岐路に立たされたときに大切なことは「心を明るくしておく」――です。

私たちの身の周りで起こる様々な問題も、いつかは科学技術の進歩で解決でき、日常生活を快適に楽しくすることができるのです。不安を増幅させず、心を明るくしてサイエンス脳を正しく発揮させていきましょう。

第2部　人間の「脳」のしくみ

4限目　錯乱する頭脳とその原因

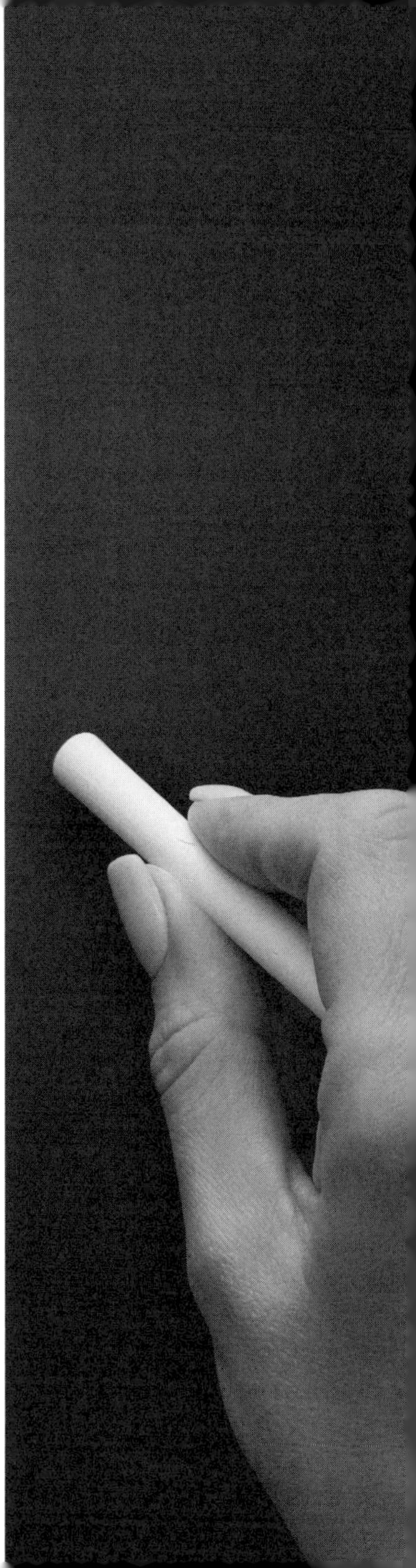

「情報」を信じすぎる、不幸な日本人

本書のテーマは「サイエンス脳のつくり方」ですが、そもそも「脳」とは何でしょうか。

脳については、まだ科学的に解明されていないことがたくさんあります。専門的な講義となるとこの一冊には収まりきれませんが、これから数項目に分けて、簡潔に「人間の脳のしくみ」についてお話しししていきたいと思います。

数年間の新型コロナウイルス禍で、私たちの頭脳はすっかり錯乱してしまいました。連日のメディア報道により、とくに日本人はコロナに対しての恐怖が増大していったのです。

人間は「頭脳」の動物と言えます。そして言語機能が異常発達していますので、聞いたことに対して「そのまま反応してしまう」という特徴があります。

他の動物は何かしらの誤った情報が入ってきても、本能に基づいて行動します。ですが、人間は誤った情報が入ってきた場合、本能に従う前に誤情報に従って危険な行動をとってしまうことがあるのです。

これからお話しするのは、約10年間に起こった御嶽山噴火のとても悲しい事例です。２０１４年９月27日11時52分に、長野県と岐阜県の県境に位置する御嶽山（標高３０６７ｍ）が噴火しました。噴火警戒レベル１の段階で噴火したことなどの様々な要因により、火口付近に居合わせた登山者ら58人が死亡、行方不明者５人、日本における戦後最悪の火山災害でした。

御岳山の登山口には噴火警戒レベルが示された掲示板があります。噴火予報がレベル１の場合は平常で、火山活動は静穏で登山者・入山者への対応はとくになしとなっています。この噴火警戒レベル表を作成しているのは、気象庁の中にある「火山噴火

	説明		
	火山活動の状況	**住民等の行動**	**登山者・入山者への対応**
	居住地域に重大な被害を及ぼす噴火が発生、あるいは切迫している状態にある。	危険な居住地域からの避難等が必要（状況に応じて対象地域や方法等を判断）。	
	居住地域に重大な被害を及ぼす噴火が発生すると予想される（可能性が高まってきている）。	警戒が必要な居住地域での高齢者などの要配慮者の避難、住民の避難の準備等が必要（状況に応じて対象地域を判断）	
	居住地域の近くまで重大な影響を及ぼす（この範囲に入った場合には生命に危険が及ぶ）噴火が発生、あるいは発生すると予想される。	通常の生活（今後の火山活動の推移に注意。入山規制。）状況に応じて高齢者などの要配慮者の避難の準備等。	登山禁止・入山規制等、危険な地域への立入規制等（状況に応じて規制範囲を判断。）
	火口周辺に影響を及ぼす（この範囲に入った場合には生命に危険が及ぶ）噴火が発生、あるいは発生すると予想される。	通常の生活（状況に応じて火山活動に関する情報収集、避難手順の確認、防災訓練への参加等）。	火口周辺への立入規制等（状況に応じて火口周辺の規制範囲を判断）。
	火山活動は静穏。火山活動の状態によって、火口内で火山灰の噴出等が見られる（この範囲に入った場合には生命に危険が及ぶ）		特になし（状況に応じて火口内への立入規制等）。

kaisetsu/level_toha/level_toha.htm）を加工して作成

種別	名称	対象範囲	噴火警戒レベルとキーワード		
特別警報	噴火警報（居住地域）または噴火警報	居住地域およびそれより火口側	レベル5	避難	
			レベル4	高齢者等避難	
警報	噴火警報（火口周辺）または火口周辺警報	火口から居住地域近くまで	レベル3	入山規制	
		火口周辺	レベル2	火口周辺規制	
予報	噴火予報	火口内等	レベル1	活火山であることに留意	

出典：気象庁「噴火警戒レベル」（https://www.data.jma.go.jp/svd/vois/data/tokyo/STOCK/

予知連絡会」ですが、発表するのは気象庁です。

実は、噴火の約2週間前から火山性地震が増加していました。そして、噴火の約11分前、北東に11㎞離れた高感度地震観測網の開田高感度地震観測施設（N.KADH）では火山性微動が観測されており、7分前には傾斜計で山体が盛り上がる変位も観測されていました。

また、登山ガイドからは「硫化水素が普段より強かった」、山小屋従業員からは「噴気の勢いが強かった」という証言があり、これは後日報道されました。

しかし多くの登山者は、このときの噴火予報がレベル1だったので御嶽山を登ろうとしてしまいました。気象庁が発表した情報を信じて込んでしまったばっかりに、噴火の予兆を本能で感じることができなかったのでしょう。

人間の本能が働けば、「火山というのは危ないから細心の注意を払わなければいけない」という思考が常に発動していて異変にも気づきやすいはずですが、誤った情報がその機能を妨《さまた》げてしまったのです。

とはいえ、被害にあった登山者の方々をせめることはできません。レベル1という発表を聞いたから御嶽山を登ろうとしたのであって、レベル2 or 3という発表があれば中止したはずです。

非難されるべきは、火山噴火予知連絡会です。

2014年の御嶽山噴火（出典：国土地理院ウェブサイト）

酷かったのは、御嶽山噴火直後の記者会見でした。火山噴火予知連絡会は記者の質問に、「もともと火山は噴火予知できるものではありません」と答え、気象庁は「2014年の9月前半から山頂付近の微動地震を観測していたが、山の地殻変動や傾斜データに変動が見られず予測できなかった」と発表しています。しかし、実際には御嶽山の山頂にある地震計3基のうち2基が故障しており、噴火が起こった前後は観測できない状況だったのです。

ところが、この事実は公表されませんでした。私があるテレビ番組で地震計故障のことを取り上げようとしたところ、「武田を降ろせ」と火山噴火予知連絡会からテレビ局に連絡がきたらしいのです。

このような隠蔽《いんぺい》工作も問題ですが、この災害でのいちばんの問題は、「現在、地震計が故障しているので、噴火予報はできません」という掲示をしなかったことです。データがない状況で、安全にかかわる事案を公式発表する行為は決して許されません。それは、科学への冒瀆《ぼうとく》であり、私たち人間社会にとって非常に害悪だからです。

「先入観」が事実を覆い隠す

人間の頭脳が錯乱する原因のひとつに「先入観」があります。先入観があると、ある事実を見てもその事実を信じられなくなります。人間の頭脳は、先に入った情報を正しいとする癖があるからです。

先入観にとらわれず柔軟な心を持っていれば、先に入った情報とは違う事実が出てきても、その事実（結果）のほうに注目できます。冷静に結果を見つめることで適切な行動をとることができるのですが、サイエンス脳のない人はこれがなかなか難しいようです。

とはいえ、理系の大学でも先入観にとらわれている学生はたくさんいます。何かしらの実験結果（データ）が出たとき、そのデータが予想とは違っていた場合、実験で出たデータのほうを疑うのです。

たとえば、次のようなことが度々ありました。「武田先生、実験したところ奇妙なデータが出ました。どうすればいいですか」と学生から質問されたので、「そのデータが正しいのではないですか」と私が答えると、「いえ、これはおかしい。予想とはまったく違いますから」と言うのです。

本物の科学者はある情報が入ってきたら、その新情報とその前の情報を同じ立場に置くということをします。

「先に入った情報が正しいとは限らない」——これは当たり前のことですが、脳の癖によって、時間的に先に入った情報というだけなのにその情報を重要視してしまいます。ですから、固定概念を外す訓練が必要なのです。

プロ野球の野村克也監督に「固定観念は悪、先入観は罪」という名言がありますが、固定観念や先入観ができるというのは、先に入った情報のほうが正しいと思っているからです。

「つもり」と「結果」が異なる場合…

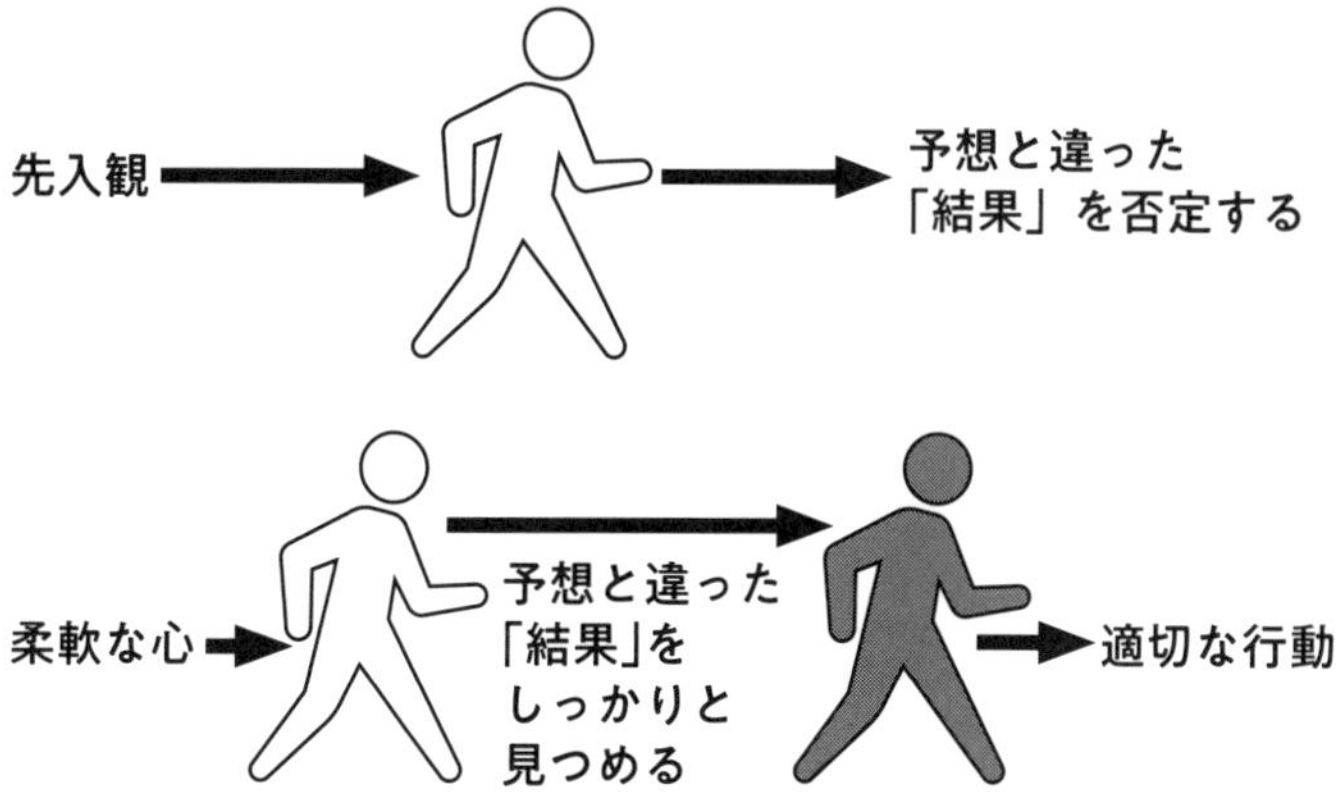

現実の世界では、「つもり」と「結果」が違うときが多々あります。

ところが「つもり」と「結果」が違うとき、先の理系学生のようにその結果を素直に受け取る人は少なく、「なぜそんな変なことになるのか」「統計がおかしいのではないか」と考えてしまいがちです。

1限目にお話しした、「禁煙すると肺がんが減る」というのはまさに先入観です。また、近年のコロナ禍はその最たるものでした。「新型コロナは最強のウイルスだから恐ろしい」「マスクとワクチンで感染を防ぐことができる」などの情報が先行し、これが大多数の先入観となりました。
ウイルスやマスク、ワクチンについて科学的なデータや事実関係を用いて反証しても、「つもり」が頭の中でいっぱいになっている人は、どうしてもその「現実」を受け入れられないのです。

コロナ禍に対する私の反証は、拙著『武器としての理系思考』と『「新型コロナ」「EV・脱炭素」「SDGs」の大ウソ』(ビジネス社)に記しました。そのひとつを紹介します。

《通常、ウイルスというのはどんどん変異をしていきます。現在観測されている「変異株」は、5千種以上になっています。

仮に、毒性が「最強のウイルス種」と「最弱のウイルス種」がそれぞれ同じだけ人々に感染していったとします。当然、最強に罹った人は亡くなる確率が高く、最弱に罹った人はほとんど亡くなりません。

そうすると、だんだん最強より最弱のウイルス種のほうが多くなっていきます。なぜなら、最強のウイルス種は宿主を殺してしまうからです。ウイルスは人間の細胞の中でしか生きていけませんから、そこで絶えてしまうのです。

このように、弱いほうが残っていくということを繰り返すので、ウイルスはだんだん毒性が弱くなっていく……》

この科学的な常識による反証さえも、「新型コロナは最強のウイルス」だとする先入観の前では無力でした。

「ウソらしい情報」も真実になる

もうひとつ、人間の脳の癖があります。それは「ウソらしい情報」を最初はおかしいなと思っても、それを何度も聞いているとそのうちにウソと思わなくなることです。

これはサブリミナル効果と同じで、最初はそんなことがあるのかなと疑っていても、繰り返し聞いているとついその気になってしまうのです。

これはなかなかやっかいな癖で、科学者の私もこれには常に悩まされています。人間の脳はこのことを防ぐことは容易ではないからです。

いちばんの防御策は、ウソらしい情報からは「逃げる」こと。テレビ番組やSNS等でよくわからない情報が発信されていると思ったら、情報を遮断してください。最

「ウソらしい情報」の波状効果

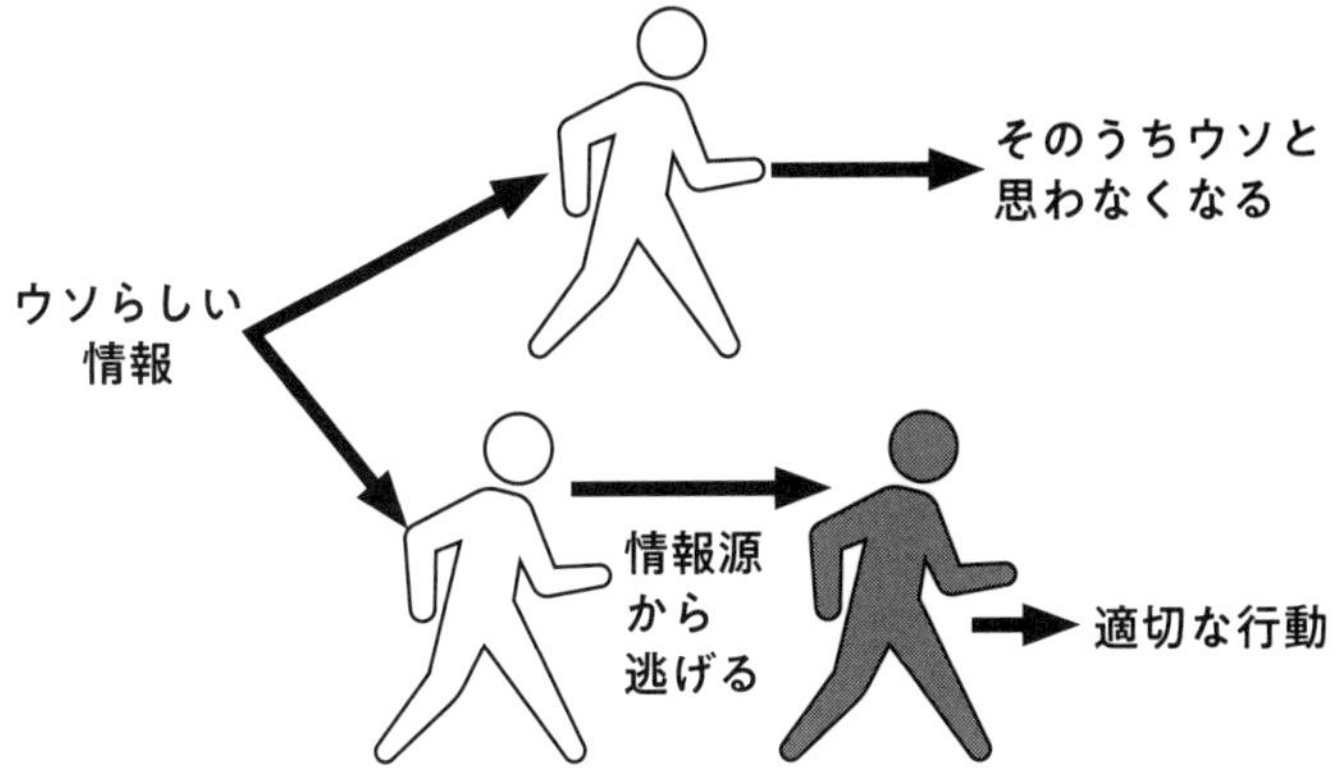

初は馬鹿にしていた情報でも、何度もその情報に触れていると脳が錯覚しはじめますので要注意です。

巷《ちまた》にはこのような「ウソらしい情報」が氾濫しています。

たとえば、現在の中国は次ページの図の「左側の地図」のように大きい国だとされています。ですが、本来の中国は「右側の地図」の中共（中国共産党）の部分だけです。それ以外は、占領地にすぎません。「右側の地図」の中国なら大きさは日本と比べてそれほど違いませんが、「左側の地図」だと超大国ということになります。

中国の地図

教科書で教える中国の地図

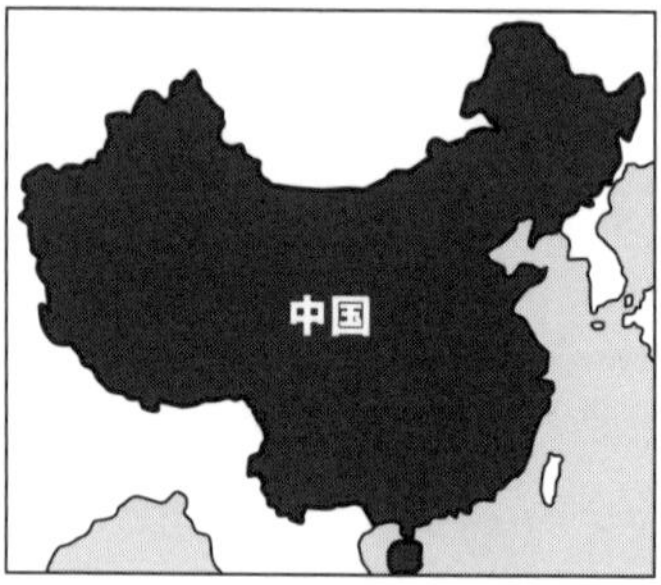

占領地を明記した中国の地図

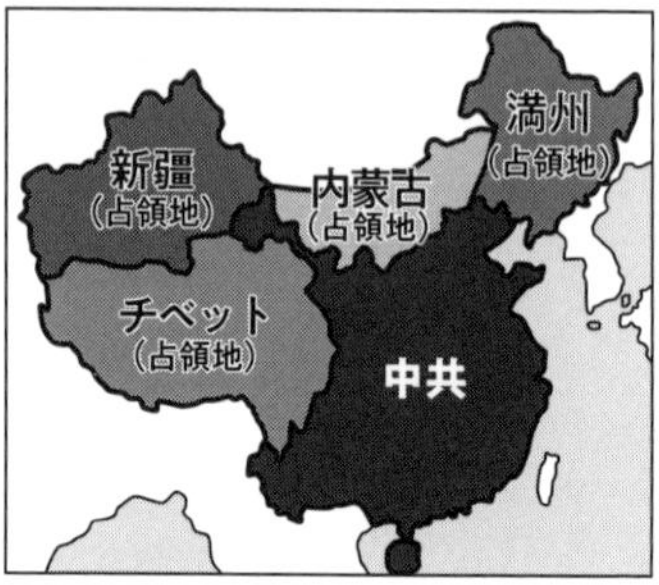

そして、よく「中国四千年の歴史」と言われますが、現在の中国は75年の歴史しかない新しい国です。

中華人民共和国（中共）は、中華民国統治下で1921年に結党された中国共産党がソ連の支援を受けながら、国共合作・日中戦争・国共内戦を経て中華民国政府を台湾へ放逐し、1949年に毛沢東が北京で建国宣言を行ったことで成立しました。

日本とは違い、かの地は何度も国替わりをしているので歴史が断絶しています。

こういう「ウソらしい情報」が繰り返し入ってくると、チベットや新疆《しんきょう》というのは中共による占領地だと思っていた人でもだんだん左側の地図が中国だと思うようになり、中共は1949年に成立した新しい国だと思っていた人でもだんだん中国は歴史のある国だと思うようになるのです。

ましてや、子どもたちはこのように教育されていますから「ウソらしい情報」＋「先入観」のダブルパンチです。大人になって、事実を知ったとしてもなかなかそれを受け入れない危険性があります。

毛沢東

＊

「先入観」や「ウソらしい情報」の多くは、テレビ報道から発信されます。

間違った情報や一方向だけの報道、意図的に報道しないなどの行為は、「人間としての尊厳を汚す、重度の倫理違反」だと私は思っています。

つまり、物理的に身体を痛めつけられるのと同様に（場合によってはそれ以上に）、頭の中を汚染させるというのは犯罪的です。それによって人間は、洗脳されたようなおかしな行動をとってしまうからです。

テレビ報道というのは、あくまでも事実を報道して、人間の頭を汚染してはいけないのです。

私たちが人間としての尊厳を保つためには、テレビ報道からの繰り返しのウソに犯されないように注意し、脳の癖を理解し、自分自身できちんとした判断ができるよう常に心がけていく必要があるでしょう。

5限目　「脳」の特徴と使い方

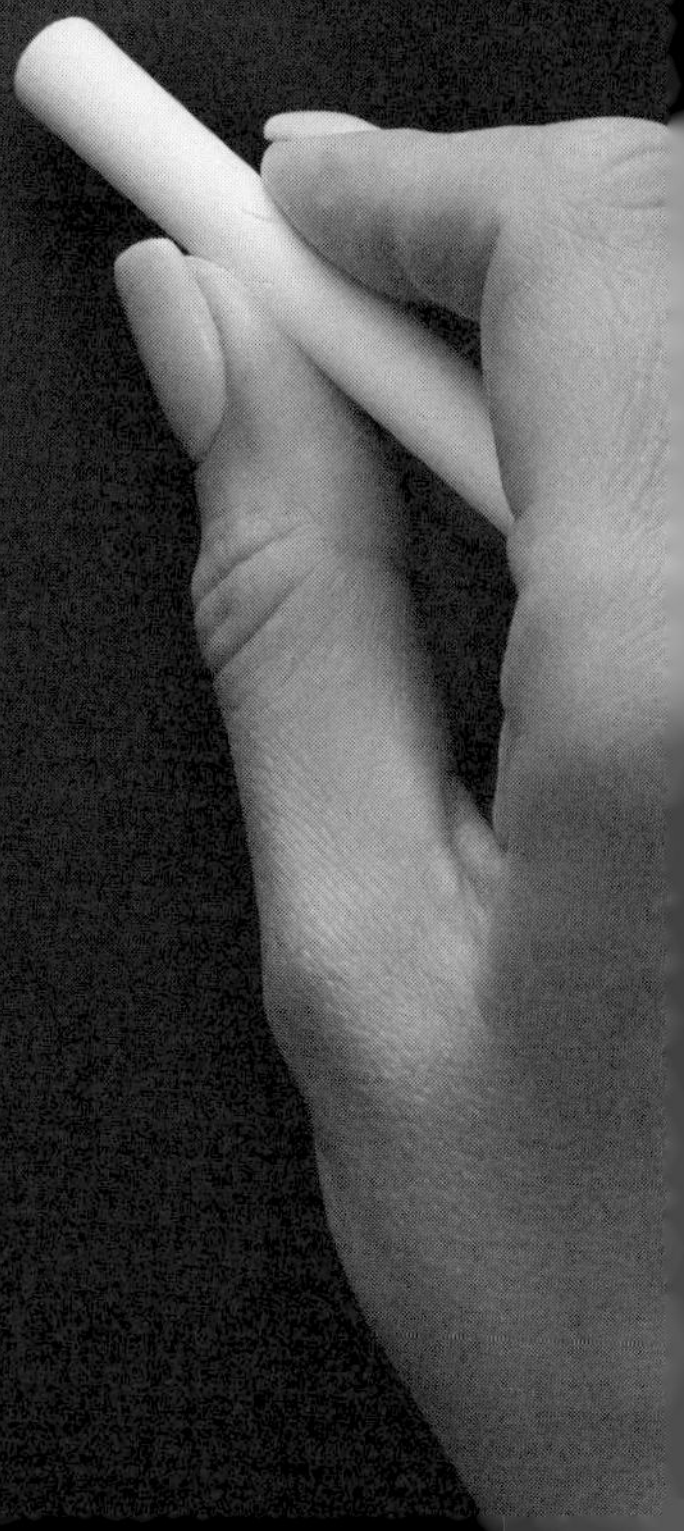

「本能」を上回った、人間の「脳情報」

ここで、簡単に動物の進化の流れをおさらいしてみましょう。

最初に誕生した生物はとても単純なつくりをしており、ひとつの細胞で構成されている単細胞生物では、脚や頭をつくることはできませんでした。

やがて単細胞生物から進化して多細胞生物となって初めて、脚や頭をつくれるようになったのです。

5億5000万年前のカンブリア紀（バージェス動物群）の時代には、5つの目を持つ動物もいましたが、より生存に有利な形態になり2つの目になりました。

頭の上に脚がついている動物もいましたが、脚は体の下にあったほうが効率がいいので今の形態になりました。このようなことが繰り返されて、少しずつ進化していき

先カンブリア時代の海中生物　※あくまでイメージ図です　©Alamy/ アフロ

隕石の落下と恐竜の絶滅　※あくまでイメージ図です　©Stocktrek Images/ アフロ

ましたが、古世代のある時期に、地球の寒冷化によって94％の種が絶滅したとされています。

中生代になり、生き残った動物は進化を遂げ「恐竜」が登場します。恐竜の時代は2億年ほどでした。この恐竜も、地球に落ちた隕石《いんせき》によって絶滅したと言われています。そして、６６００万年前に哺乳動物の時代になったのです。

次に、「脳（脳情報）」の進化をみていきましょう。

細菌やウイルスなどは「遺伝情報」だけです。情報量は「ＢＩＴ」であらわしていますが、細菌は１００万ＢＩＴの遺伝情報で、ウイルスはさらに少ない1万ＢＩＴの遺伝情報です。

そして単細胞生物、原生動物、腔腸《こうちょう》動物と進化し、両生類になっていきますが、両生類になって初めて「脳情報」が少しだけ出てきます。

爬虫類は、脳情報と遺伝情報がほぼ同じです。それでも遺伝情報のほうが強いので爬虫類《はちゅうるい》は遺伝情報メインで活動しています。

その後、哺乳類ができて爬虫類よりも100倍近い脳情報を得ることができるようになりましたが、それでもまだ不十分でした。

600万年前に人間ができて哺乳類よりも1000倍近い脳情報を得るようになりました。これによって初めて脳情報が遺伝情報を抑えるようになりました。つまり、脳情報が遺伝情報すなわち「本能」を上回るようになったのは人間が最初ということになります。

とくに男性の場合は、200万年前に脳が1000ccを超えたことによって、本能というものが出にくくなりました。

現在ではスマホなどの情報が身近にありますので、人間の脳情報にそれら機械的な情報も加えると、10の16乗BITの脳情報になったと言われています。10の16乗BITというと、大きな図書館に相当する情報量です。人間の脳情報は他の動物を引き離し、大容量に進化してきたということになります。

この膨大な脳情報によって人類は繁栄しているわけですが、発達しすぎた脳のせいで新たな問題が起きているのです。

人間の脳には2つの欠陥がある

人間の脳は、「大脳」「脳幹」「小脳」に分けられます。

脳は身体の活動のほとんどを制御し、感覚器から受け取った情報の処理・統合・調整、身体の各部位へどのような指令を送るかの決定、といった役割をつかさどります。

この人間の脳の中で、とくに注目したいのが「大脳新皮質」と「大脳辺縁系」です。

大脳新皮質は、大脳の表面を占める皮質構造のうち進化的に新しい部分です。合理的で分析的な思考や言語機能をつかさどります。いわゆる下等生物では小さく、高等生物は大きい傾向があります。人間の脳では、中脳や間脳などを覆うほどの大きさを占めています。

大脳辺縁系は、大脳の奥深くに存在する尾状核、被殻からなる大脳基底核の外側を

大脳辺縁系の位置

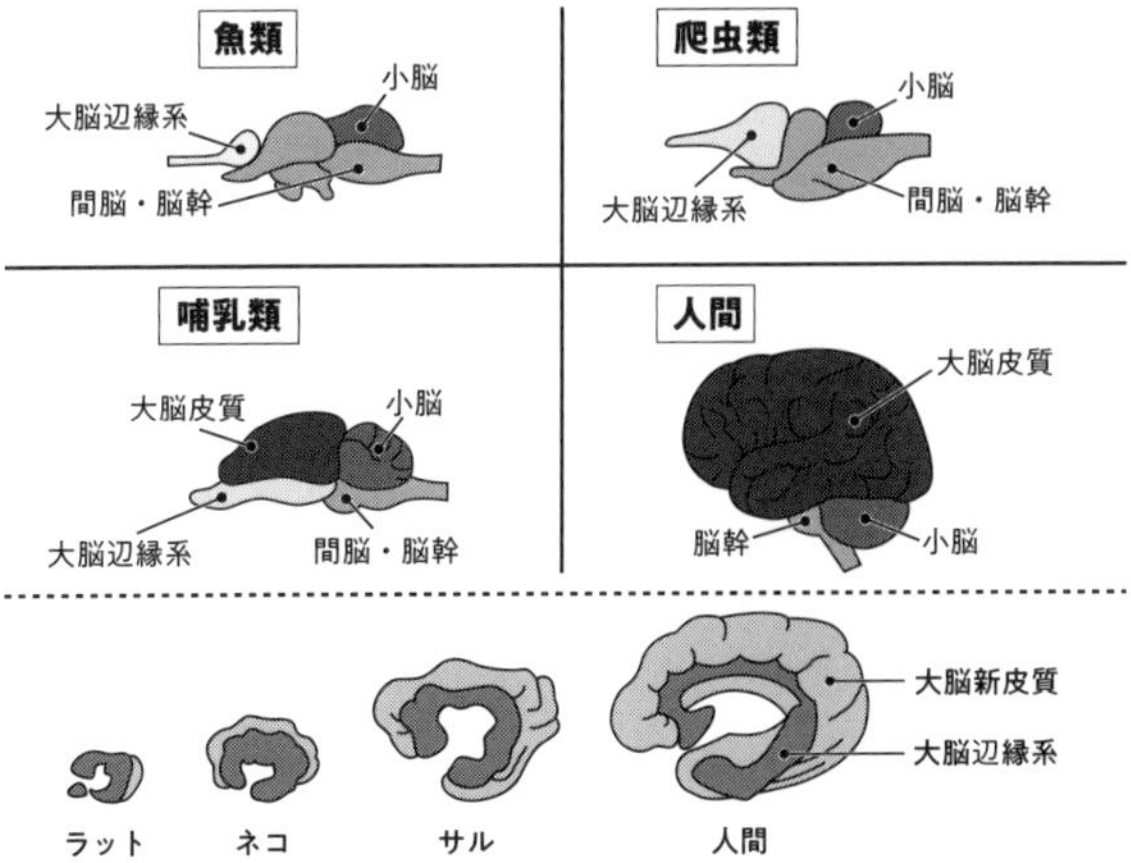

とりまくようにあり、情動の表出、意欲、そして記憶や自律神経活動に関与している複数の構造物の総称です。生命維持や本能行動、情動行動にも関与しています。

人間の大脳新皮質は、他の動物とは大きく違っています。動物のほうはつくりが雑になっていますが、人間の場合は層の状態になっていて、総合的なこと、個別的な処理をするところなどが厳密に決まっています。

大脳新皮質の役割は、ものを知覚したり、運動を制御したり、計算や推理をしたりするなどまさに「知性」をつかさどるといっていい器官です。この大脳新皮質が発達したことにより、人間は道具や言語を自由にあやつることができるようになりました。生まれたばかりの赤ちゃんの大脳新皮質は真っ新《さら》です。それが成長するにつれ、どういう環境にいたか、何を勉強したかなどによって脳情報を蓄積していくのです。

本来、大脳新皮質は動物に恩恵をもたらすためにあるのですが、逆にストレスを生み出すこともあります。大脳新皮質がほとんどないヘビやトカゲは悩むことはありませんから、自らの脳がつくり出す精神的なストレスもありません。

ところが人間は、発達した大脳新皮質があるばかりにいろいろなことに悩み苦しみ、それ自体がストレスとなって、うつや自律神経失調症になる場合もあるのです。

その他にも、大脳新皮質にはいくつかの欠陥があります。

欠陥のひとつに「自分の頭の中にある情報から判断する」ということがあります。人間は必ず見たものや知ったものを、自分の頭の中にある情報から判断するのです。

しかし、世の中に自分の頭の中にない情報というのはいくらでもあります。2限目で例にあげたUFOもそうです。

多くの人は「ＵＦＯを見た」と聞いたときに、自分の頭の中にある情報で「ＵＦＯの駆動は何だろう？　ジェットエンジン？　ロケットエンジン？」などと考え、「ＵＦＯなどつくれるわけがない」と判断しがちです。

人間はＵＦＯのように自分の頭の中にない情報（とくに、常識から大きく逸脱した情報）が入ってくると不安になるので、ＵＦＯの存在自体を全否定するのです。

ちなみに私は、自分の頭の中にある情報、常識とされている情報以外のものが世の中にはたくさんあるということを理解しているので、ＵＦＯの駆動についても「自分の知らない動力があるのかもしれない」と思うだけです。

また、「光より速いものはないのだから、何億光年の彼方からＵＦＯが地球に来るはずがない」と反論する人もいるでしょう。「光より速いものはない」ということが自分の頭に入っているからＵＦＯを認められないのです。しかし、「光より速いものはない」と決まっているわけではありません。

確かに、アインシュタインの一般相対性理論では、光より速いものは存在しないとしています。ですが、現代の量子力学から、量子もつれの伝達速度が光より速いという概念が出てきました。そして、宇宙の膨張速度も光より速いと観測されています。これまで常識とされていたことが100%正しいわけではないのです。

誤解してほしくないのは、私はUFOの存在を完全に認めているわけではなく、その可能性を全

アインシュタイン

否定しないだけです。

もうひとつの欠陥としては「本能を抑えて利己的になる」ということがあります。イワシが群れるのは大きな魚が来たときに、それよりも大きな固まりになって自分たちを守るためです。これは本能系の生き物の特徴です。

多細胞生物ができたとき、バージェス動物群の王様でアノマロカリスという生き物がいました。海棲生物の一種で、この時代の動物としては最大かつ最強で、カンブリア紀の生態系の頂点に君臨していました。アノマロカリスは初めての肉食動物と言わ

れていますがすぐに滅びてしまいます。それは、自分ひとり（一匹）で生きていけると思い、「群れ」をつくらなかったからと推測されます。

現在の人間は、イワシではなくアノマロカリス寄りになっています。大脳新皮質の発達で本能を上回ったがために、「自分よがり」になってしまったのです。

人間以外に利己的な動物はいません。基本的に動物は群れで生活していて、他者と協力することが本能に刷り込まれているからです。

アノマロカリス　©Stocktrek Images/アフロ

私たちは、家庭や友人、地域の人々、そういった周りの人たちがいなければ生きていけないはずなのに自分本位の考え方になりがちです。

たとえば、お互いに愛し合って結婚した夫婦もいつしか喧嘩ばかりするようになってしまいます。それは、生まれたときから大脳新皮質に蓄えてきた情報で相手を判断してしまうからです。

自分の頭の中にある情報が正しいと思っているので、夫（妻）の意見は間違っていると思ってしまう。だから、喧嘩になる。本来、結婚というのは、違う考えを持ったふたりが一緒に生活することによって、人生の豊かさを倍にしようとするものなのですが……。

そして、親子間でも諍《いさか》いが起こります。親子喧嘩がなぜ起こるかといえば、古い考えでできている親の脳と新しい考えでできている子どもの脳ではなかなか意見が一致しないからです。

仮に親の意見に子どもが合わせたとしたら、その子どもは時代遅れになってしまいます。もちろん新しい情報が常に正しいわけではありませんから、親子喧嘩はなくならないのです。

脳の「空間」をうまく使えば、人間関係が良好に

人間の脳の特徴や大脳新皮質の欠陥を学んだので、次は職場のトラブルや夫婦喧嘩を起こさないための解決法をお伝えします。

実は、勉強量が少ない人ほど大脳新皮質の情報空間ががっちりと埋まっていて、頑固になりやすい傾向があります。情報がアップデートされないので古い情報が固定化してしまうのです。

勉強をたくさんしてきた人のほうがこの空間を空けやすくなっています。それは、次から次へと新しい情報が入ってきても、その都度取捨選択しているからです。風通しの良い部屋だとイメージしてください。

この大脳新皮質の情報空間が埋まっていると、新しい情報が入ってきた際に「ウソ

だ」と思いすぐに否定してしまいます。先述した「自分の頭の中にある情報から判断する」という脳の欠陥が悪化している状態です。

私は40歳くらいのときにこの欠陥に気づき、自分の脳に30％の空間をつくる訓練をはじめました。

まず、固定概念にとらわれないように頭を柔軟にしておく。そして、何かしら新しい情報が入ってきたら、自分の頭の中の情報と比較せずに受け入れます。たとえそれが賛同できない事柄があったとしてもとりあえず空間に入れておくのです。

次に、その新情報ともともと自分の頭にあった情報を比較して、必要だと思ったものだけを残し、必要のない情報は捨てるということをするのです。

新情報を受け入れてから、取捨選択をする——。即座に否定しないことを心がけて、常に情報をアップデートしていくことによって、脳の情報空間を少しずつ空けられるようになっていきます。

私がこの訓練を続けていると、だんだん職場での諍いがなくなっていきました。なぜなら、同僚などの意見を「なるほど」と受け入れられるようになったからです。私が相手の意見を素直に受け入れるので相手も嫌な気持ちにならず、仕事以外の人間関係も円滑になったのです。

私はこれで人生が楽になり、病気がちだった身体もすっかり元気になって、ストレスもなくなりました。

誰もがこのような訓練をしていけば、世の中はもっと穏やかなものになるでしょう。

「いや、それは違いますよ」とすぐに相手の意見を否定する人がいますが、そういう人は大脳新皮質を充満させているからです。入ってきた情報をすぐに比較し、自分の頭の中にある情報が正しいと思っているから、違う意見を否定してしまうのです。

何を言われても「そういう考えもあるのだな」と思えるようになれば、腹は立ちません。そうすれば、職場でも家庭でもトラブルは軽減されると思います。

自分と他者とは違います。それは遺伝子や育った環境がまったく違うからです。

自分の脳に30％の空間をつくる――ぜひ試してみてください。

脳から考える「理想的教育」

ここから、脳の観点から「理想的教育」について検証していきたいと思います。

前述のとおり、大脳新皮質は大脳の中で最も大きな部分を占めており、人間が進化した過程でできたいちばん新しい脳です。

この大脳新皮質には、生まれてからの情報が蓄積されていきます。自分の考えというのもここから出てくるものです。しかし、これは自分の考えがすべて正しいと思ってしまうという「利己的」な欠陥でもあります。

対して、大脳辺縁系には5億5000万年前の多細胞生物時代からの知恵と経験が入っています。古《いにしえ》より群れとして生きてきた情報によって、「群れ全体が幸福にならなければいけない」というある種の「利他的」な行動を、人間以外の動物は本能的にします。

本来であればこの大脳辺縁系が有効に働くような教育が必要なのですが、現在は反対に大脳新皮質を肥大化させる教育になっています。

そうすると子どもたちは思春期から自分探しがはじまり、いつまでも「自分とは何者か」と利己的な自分を追究していきます。すると、だんだん家族や友人たちとうまくつき合えなくなってきて、時には諍いが起こったりします。やがて、自分自身のことさえもわからなくなってしまうのです。

昔の東洋式（インドや日本）の教育は、「自分を大切に。そして、仲間も大切に」という大脳新皮質と大脳辺縁系のバランスをとるものでした。

ところが明治維新によって、大脳新皮質をメインとする西洋式の教育が入ってきました。現在では、日本の学校教育のすべてが西洋式となっています。

数学者で理学博士の岡潔は、大脳辺縁系を「第二の心」と名づけました。それは「全体を見渡しながらやっていく心」です。さらに岡博士は「西洋はまだ第二の心に気づいてない」と警告を鳴らしていました。

維新の時代に、日本人はなぜ西洋のほうが優れていると思ってしまったのでしょうか。当時、西洋が優れていたのは軍艦や大砲のつくり方であって、教育的なものが優れていたわけではありません。


西洋偏重の教育にはウソも紛れ込んでいます。

たとえば、「我思う、故に我あり」という言葉があります。

これを17世紀フランスの哲学者ルネ・デカルトが発した哲学の第一原理だと思っている人が多いと思いますが、この原理を最初に言ったのは8世紀インドの思想家シャンカラです。12世紀イランのイスラム神秘思想家であるガザーリーも同様なことを言っています。

デカルトがこの言葉を言ったのは1650年です。デカルトは三番煎じというわけです。

また、イギリスの経済学者トマス・ロバート・マルサスが、1798年に「人口は等比級数的に増加するが、食糧は等差級数的にしか増えない。そして、人の性欲はなくならない」という『人口論』を発表しました。

これも、その5年前に中国清代の思想家である洪亮吉が同じような内容の本を書いています。ですが、西洋流の教育では先に発表した洪亮吉のことを「中国のマルサス」と呼んでいるのです。

残念ながら今の日本では「西洋が世界一」という、まさに大脳新皮質の欠陥のような考え方で子どもたちを教育しているのです。

ルネ・デカルト

トマス・ロバート・マルサス

西洋教育の目的は「支配層に入る」こと

大脳新皮質メインの「西洋式教育」をするとどういう社会ができるかといえば、ルイ王朝時のフランスがいい例です。総人口0・5％の第1身分（聖職者）の人たちと1・5％の第2身分（貴族）の人たちが、総人口98％である第3身分（平民）の人々を支配するという構造です。

現在のアメリカも、上位2％の人たちが富の50％を持っていると言われています。

このような社会で、大脳新皮質に焦点を持つ教育の「人生の目的」は〝支配層に入ること〟になってしまいます。

他人を蹴落としてでも自分は上にいく。お金がすべてで、弱肉強食の社会――。欧米だけでなく、日本もそうなってしまいました。

大脳新皮質と大脳辺縁系のバランスのとれた、かつての「日本式教育」では、「人生の目的」は〝日本が繁栄すること〟でした。すなわち、利他の精神です。

実際に西洋と比較すると、日本は身分の差や経済格差が小さな社会といえます。

日本の歴史を整理してみると、我が国には実質2つの階級しかありません。天皇と民です。

平安時代の貴族、江戸時代の士農工商という階級が歴史の教科書には出てきますが、西洋の身分制度とはまったく違います。

天皇以外の民は「天皇の赤子」、つまり「天皇の子ども」です。みな天皇の赤子ですから、日本では西洋のような奴隷は発生しません。徳川家康が豊臣家を滅ぼしても大阪商人には手をつけなかったのは、大阪商人も天皇の赤子だからです。

江戸時代の末期に、西洋の科学書がどんどん入ってきました。有名な『解体新書』をはじめ、数多くの書物が日本語に翻訳されました。

ですが、アジアの国で西洋の科学書を母国語に訳したのは日本だけです。というのは、ほかの国には階級差別があり、西洋語が読める上部の階級層が知識を独占して、下位を圧迫しようという気持ちがあったからでしょう。
日本人はみな天皇の赤子ですから、誰も知識を独占しようとせず、万人のために翻訳していったのです。この時代の庶民が、文字を読めるということも驚愕に値します。

日本式教育の素晴らしいところは、「十七条憲法」にも見られます。「和を以《もっ》て貴しとなす」「礼を以て本《もと》とせよ」「信は是《これ》義の本なり」――これらは聖徳太子が当時の官僚へ向けて発せられたものですが、日本人の精神性を見事にあらわしています。

日本社会では「ひとりで決めず、必ずみんなと相談して決める」ということが綿々と引き継がれていき、明治元年「五箇条の御誓文」の「万機公論に決すべし」につながります。

よく「民主主義」は先の大戦後にアメリカから教えられたなどと言われますが、まったく違います。日本では聖徳太子の時代から、天皇も公家も武士も庶民も「民主主義」＝「和」の精神で社会を運営してきたのです。

郵便はがき

お手数ですが
切手を
お貼りください

1 5 0 - 8 4 8 2

東京都渋谷区恵比寿4-4-9
えびす大黒ビル
ワニブックス書籍編集部

お買い求めいただいた本のタイトル

本書をお買い上げいただきまして、誠にありがとうございます。
本アンケートにお答えいただけたら幸いです。
ご返信いただいた方の中から、
抽選で毎月5名様に図書カード（500円分）をプレゼントします。

ご住所　〒 TEL（　　-　　-　　）	
（ふりがな） お名前	年齢 歳
ご職業	性別 男・女・無回答
いただいたご感想を、新聞広告などに匿名で使用してもよろしいですか？　（はい・いいえ）	

※ご記入いただいた「個人情報」は、許可なく他の目的で使用することはありません。
※いただいたご感想は、一部内容を改変させていただく可能性があります。

●この本をどこでお知りになりましたか?(複数回答可)

1.書店で実物を見て　　2.知人にすすめられて
3.SNSで(Twitter:　　Instagram:　　その他　　)
4.テレビで観た(番組名:　　)
5.新聞広告(　　新聞)　　6.その他(　　)

●購入された動機は何ですか?(複数回答可)

1.著者にひかれた　　2.タイトルにひかれた
3.テーマに興味をもった　　4.装丁・デザインにひかれた
5.その他(　　)

●この本で特に良かったページはありますか?

[　　]

●最近気になる人や話題はありますか?

[　　]

●この本についてのご意見・ご感想をお書きください。

[　　]

以上となります。ご協力ありがとうございました。

「和」の精神を核とした教育をしていくと争いごとが少なくなります。

歴史上、日本が外に出て行った戦争は数回しかありません。日本でも戦国時代などの戦乱期はありましたが、西洋の戦争史に比べると明らかに日本社会は平和でした。

「ゆとり教育」は間違いではなかった!?

1990年に「ゆとり教育」という話が持ち上がり、政界、産業界、学会はもとより芸能界に至るまで「全員賛成」で初等教育の大改革が実施されました。これも「日本的」と言えるでしょう。

そのときのうたい文句は「今までは生産の拡大だけが日本に必要だったが、これからは頭で考える人材でなければ国際競争には勝てない」ということでした。

これは脳の観点から説明すると、「大脳新皮質メインの教育から、大脳新皮質と大脳辺縁系のバランスのとれた教育への転換」です。この意味では、かつての「日本式教育」への回帰です。

ところが、日本中が賛成してスタートした「ゆとり教育」は結果的には失敗しました。

まず教師への「ゆとり教育」が必要だったのですがそれを省いたので、教師自身が何を子どもたちに教えればいいのかがわからない。教師自らの「考える力」が不足していたからです。準備不足のスタートだったので、致し方なかったのかもしれませんが。

そして数年後、子どもたちの学力の低下が報道されるようになり、一気に風向きが変わります。

「考えさせる教育」ですから、それまでの「詰め込み教育」よりも教えるのに時間がかかり、一時的には成績が下がったように見えるのは覚悟のうえだったはずです。当時の文部省（現・文部科学省）は頑張っていて「学習指導要領」などをつくり、不慣れな教師たちもこの要綱にそって教えていきました。

それなりに成果を上げはじめた頃に、国際テストの成績がテレビで報道され、「ゆとり教育の結果、日本の子どもは世界のトップクラスから中堅に落ちた」とされました。

この結果に多くの国民がショックを受け、「ゆとり教育が悪い。やめてしまえ！」という批判の大合唱になったのです。

とくに話題となったのは、円周率（π）を従来の「3・14」から「3」として教えることに対してでした。「3・14という数値くらい覚えないで勉強と言えるのか！」「むしろ3・141592まで覚えさせてもいいくらいだ！」という批判の声が起こったのです。

でも、それは大変な誤解です。円周率（π）が「3」でもよかったと、私は考えています。

円周（L）を計算する式は、L＝πD（Dは円の直径）です。

円周率（π）を「3・14」とすると、子どもたちは、3・14を覚え、L＝πDの公式を覚え、直径Dを与えられると、円周率と式を思い出して掛け算をして求める、という順序を踏みます。たとえば、1mの直径の場合、円周は3・14mとなります。

しかし、この計算式の本質はそうではなく、「直径がわかれば、その3倍が円周だ」と瞬時に計算できることのほうが重要なのです。

この本質を理解していれば、たとえば陸上競技用の400mのトラックをつくろうとしたとき、「400」を「3」で割り「長さが130～140mぐらいの土地があればできるな」ということが暗算でわかります。「考えさせる教育」とは、こういうことだったはずです。

円周率（π）を「3・14」と教えてもかまいませんが、それがただ数値を暗記したにすぎず、試験問題を解くためだけに使われるとしたら意味がありません。子どもたちが大人になって、人に使われる立場にいたならば言われたことにそって計算すればいいのかもしれませんが、自分の頭で考える仕事をするのであれば概算で見当をつけられる力が大切になります。だから、「3・14」と「3」では、質が違うのです。

せっかく「ゆとり教育」で「自分で考えられる人」をつくろうとしているのに、「召使いの勉強」から離れたくないというのは本末転倒です。これではいつまでたっても、日本は自立できません。この円周率（π）をめぐる一連の騒動は、実は極めて深く、深刻な課題を示していたのです。

また近頃、小学校では児童に「君の取り柄は何か。長所は何か」と聞くそうです。でも、取り柄というのはそんなに大事なものでしょうか。

得て他者と比較して、自分のほうが優れている点などを取り柄としてしまう。

そうすると、自分を探し求めていきますので、子どもたちの心は傷ついていきます。

世界で最も子どもの教育水準が高いとされるフィンランドでは、勉強時間ではなく質を高める教育をしています。子どもたちが「自ら考えて学ぶ」ことを重視し、高校入学のための試験もありません。

以前、私がフィンランド大使館の研究会に参加したときに「なぜ入学試験がないのですか」と訊ねてみたところ、「なぜ人と比較する必要があるのですか」という答えが返ってきました。

フィンランドの教育は、自分中心の「西洋式教育」とは一線を画しているのです。

繰り返しますが、かつての「日本式教育」は個と公をバランスよく考えたものでした。江戸時代の「寺子屋」の例もあるように、当時の日本の教育は世界で最も発達していたのです。

読み書き・計算を学んだ庶民層が自分自身や家族の生活、そして社会全体を発展させていきました。「日本が良くならなければ、自分も良くならない」と思うことで、一生懸命頑張ることもできます。

「ゆとり教育」というのは、日本型の絡合《らくごう》教育です。確かに多くの不備もありましたが、改善しながら運用していけば大脳新皮質メインの教育から脱することができたかもしれません。

6限目　人はなぜ死を恐れるのか

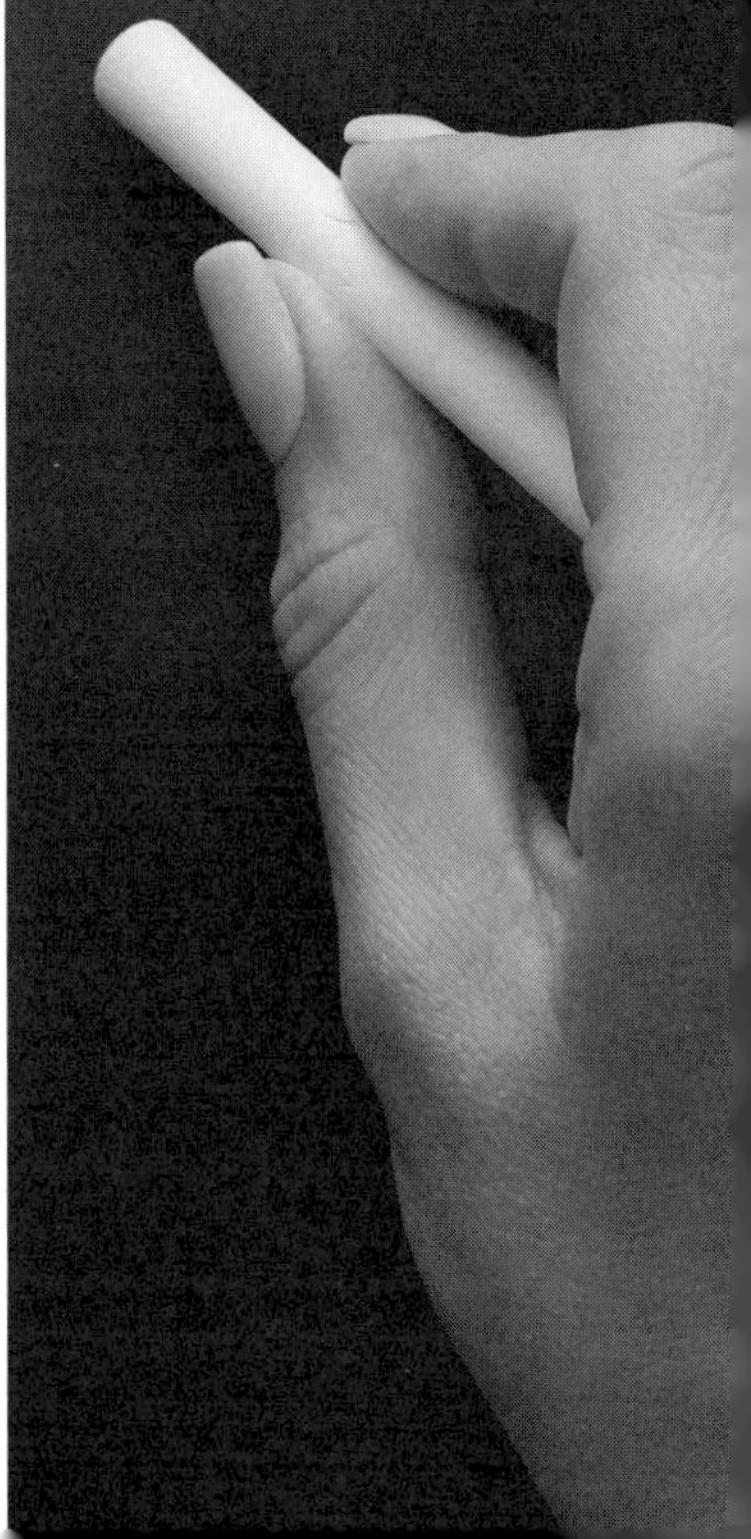

大脳が完成すると、死ぬのが怖くなる

人はなぜ死を恐れるのか――。

通常こういう疑問は宗教や哲学に属するものですが、本書では「人間の脳のしくみ」から考察していきたいと思います。

宗教や哲学の大きな問いに、「自分の意思で生まれたわけではないのに、人はなぜ死を恐れるのか」ということがあります。大脳新皮質が発達した人間は、この難題にぶちあたりました。

ブッダはこの難題に対する回答として「すべてのものを捨て去れば、死を恐れることはない」と言っています。

古代ギリシャの哲学者ソクラテスは、「私は好奇心が強い。まだ一度も死を経験し

ていないので、一度経験してみたい。死は怖くはない」と言っています。

人間の大脳には真ん中に本能的な脳（反射脳）があり、その外側に感情的な脳（感情脳）があり、そしてさらにその外側に理性的な脳（論理脳）があります。

問題なのは、いちばん外側にある論理脳＝大脳新皮質が脳全体の上に被さってしまっていることです。

たとえば、サメの大脳は先端の小さい部分にしかないため考えることはできません。ヘビの大脳は魚類よりは大きいのですが、それでもまだまだ小さいので本能で行動しています。ネズミは脳の半分が大脳ですが、まだ本能のほうが強い。

ソクラテス

ヘビよりも大脳が小さい動物は反射的にしか行動できません。目の前に食物があったら食べる、敵が来たらと逃げる。それでも小さいとはいえ大脳があるので、何か痛い目にあえば次からはもっと早く逃げようという学習能力はあります。

ネズミぐらいの大脳になると「同じようなことが前にあったかな」というほんの少しのエピソード記憶はあります。

霊長類のような大脳になると、しっかりとしたエピソード記憶があり、1年前はどうだったかということが覚えられるのです。そこから「自分の意志」というのが芽生えてきます。

この「自分の意志」は、論理脳＝大脳新皮質の分野です。

生まれたときの大脳新皮質は何も入っていない、空っぽの状態です。そのため生まれたばかりの赤ちゃんは、自分が生まれているということにすら気づいておらず、ただ泣くだけです。

3～4歳くらいになると少しだけ「生」を意識できるようになりますが、8～9歳くらいまでは身近な人が亡くなっても「死」というものをはっきりとは把握できないと言われています。

10歳くらいになると、「生」と「死」が判断できるようになります。14歳くらいになると、自我が目覚めて思春期に入ります。「自分は何者だろうか」という疑問を持つようになってきます。

さらに、大脳新皮質にどんどん情報や記憶が書き込まれていき、だんだん自分の人生というものがわかってきます。そして、25歳くらいになると大脳が完成します。そうすると、死ぬのが怖くなってくるのです。

10代の若者が無鉄砲で、あまり死を怖がらないのはこのような脳のしくみからも説明できます。

歳を重ねれば重ねるほど、生きるのに執着するようになります。なぜなら、本能や感情を理性が完全に抑え込んでいるからです。古の知恵を新しい情報が上回り、「自分」中心になる。だから、死にたくなくなる、死が怖くなるのです。

前述のとおり、大脳新皮質というのは赤ちゃんのときは真っ新です。ですから、たとえば両親が英語を流暢《りゅうちょう》に話せても、その語学力はまったく赤ちゃんには伝わりません。要するに、大脳新皮質には祖先が営々と獲得してきた知恵が残っていないのです。

ではどこにあるかというと、それは遺伝子や大脳辺縁系、小脳、延髄などいろいろなところにあると言われています。もしかすると、腸に蓄積されている可能性もあります。

本来、私たちは身体全体で知覚し、行動すべきなのです。いわゆる「五感」です。ところが現代人は五感が鈍り、大脳新皮質からしか判断できないようになっています。自分本位になり、自分さえ得になればよいと思い、それより大きなこと（社会全体のこと）は考えられない……。

生まれるのは自分の意思ではなかったのに死ぬのが怖くなるのは、大脳新皮質で考えてしまうからです。つまり、「死ぬのは怖い」と脳が錯覚しているのです。

これが、仏教でいう「煩悩」かもしれません。「執着を捨てよ」という、ブッダの言葉は慧眼《けいがん》です。

動物は「群れ」のために死ねる

人間以外の動物は、死ぬことが怖くありません。

たとえば、サケは卵を産むために川に帰ってきますが、オスとメスはお互いに相手を見つけると、メスが川の底に穴を掘り、オスがそれに寄り添い、産卵・放精を行います。産卵が終わると、エネルギーを使い果たしたサケは、数日後にメスもオスも同時に死んでしまいます。同時ということは、病死などではなく自らの意思（本能）で死んでいるということです。

次に、哺乳動物の場合です。哺乳動物のメスには生理がありますが、メスは自分の生理が終わるとほとんどの場合、自殺します。一般的に、野生のメスは群れから離れて、何も食べずに餓死するのです。

群れの食料は一定です。自分が生きていると子どもたちに食料が行き渡らないので、生理が終わったメスは群れを離脱するのです。子どもを産んでないメスでも、生理が終わったらもう自分には役目はないと考え、群れから離れて、餓死します。

オスの場合は、メスより10年ぐらい前に死んでいきます。

人間の女性が、生理が終わっても生きているのには理由があります。人間社会は、高齢の女性を必要としているからです。

たとえば、娘が妊娠したら手助けできるし、孫ができたら世話もできます。コミュニケーション能力も高いので、地域の潤滑油としても貢献できます。

ある調査によると、祖母が孫を世話しているときのほうが、祖父が孫を世話しているときよりも、孫の怪我をする割合が3分の1に減るそうです。

「寿命と長寿」については、本書の「10限目」で改めてお話ししたいと思います。

やるべきことをやっていると、死の恐怖が軽減される

「人はなぜ死を恐れるのか」という問いに対するひとつの回答として、「正直に生きていない」ということがあげられるかもしれません。

動物のように人間も本能に正直に生きていたら、苦労せずに死ぬことができるでしょう。

私たちは往々にして、「健康のために、したいことを我慢する」ことがあります。

たとえば、家族から「あなたの身体が心配だからお酒とタバコはやめて」と言われ、仕方なくやめる。そうすると、心の中に「あれもしたかったな、これもしたかったな」という想いが溜まっていき、年を重ねるにつれ、この世に未練が残ります。

未練があると「死にたくない」という想いが募り、死ぬのが怖くなるのです。死の恐怖を軽減するためにも、自分のしたいことをする。少しくらい無理してでも、思いのままに実行する。そうすれば、「好きなように生きてきたから後悔はない」と思えるようになります。

若者が親切心で、「疲れますから、休んでください」と年配者に言うのはおすすめできません。声をかけるのであれば、「おじいちゃん、元気だね。やってみたらいいよ」「おばあちゃん、食べたいものを食べたらいいよ」と言ってあげてください。

心安らかな最期を迎えるためには、日々、自分なりにやるべきことをやり続けることです。

＊

人間にとって立派な最期とは何でしょうか――。

日本の特攻隊の若者は、国のためだけではなく、親兄弟や妻、そして子どもたちなどのためにその身をささげました。特攻隊の若者は、これから死ぬとわかっていても

ワーテルローの戦い

非常に勇敢で、最後は笑顔で、しっかりと役割を果たして散っていったのです。

歴史をよく知らない人は「特攻隊は異常だった」と言いますが、まったくそんなことはありません。

たとえば、1815年にベルギーで起こったワーテルローの戦いです。これはフランス皇帝ナポレオン1世とイギリス・オランダ・プロイセン連合軍との戦闘で、結果的にナポレオン1世はフランスの兵力の大部分を失う惨敗に終わりました。

ナポレオンの近衛兵は、貴族の子息で構成されており、負けたことがないと言われ、戦場では絶対に命を惜しまないという、最強の軍隊でした。

最終的に、ナポレオンの近衛兵は連合軍に取り囲まれてしまい、イギリス軍の将軍に「もう降伏しろ、銃を捨てれば命は助けてやる」と言われるのですが、近衛兵は「そんなことはできない」と最後まで戦い、全滅したのです。

長い歴史を見れば、古代ギリシャ・アレキサンダーの時代から大きな変革のときには、ナポレオンの近衛兵や日本の特攻隊のように、国を想う若者たちが最後の舞台で歴史の締めくくりをしてきました。

——命とは、自分だけのものではないのです。

第3部

社会問題をサイエンス脳から考える

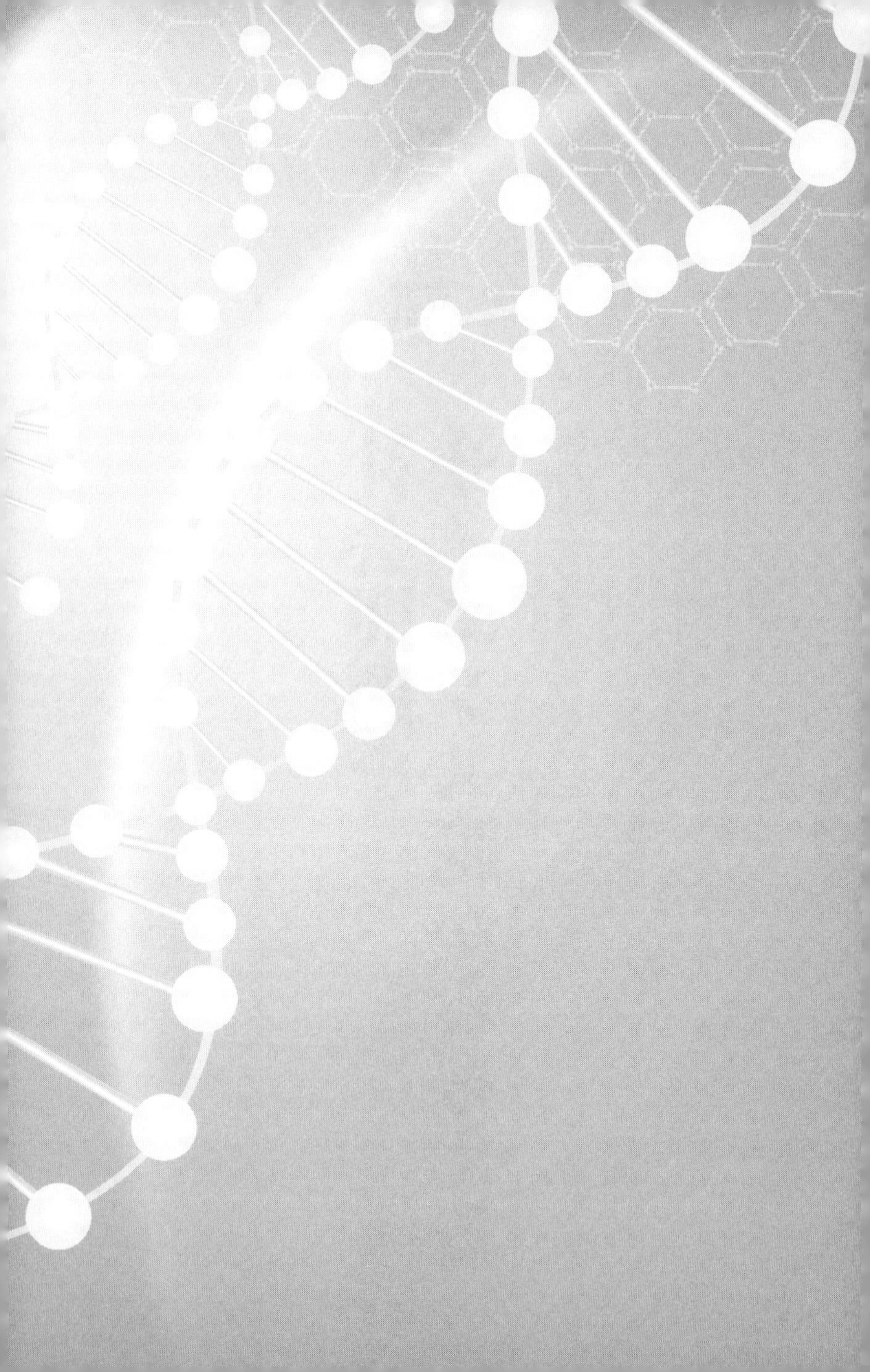

7限目　「環境問題」――失敗の本質

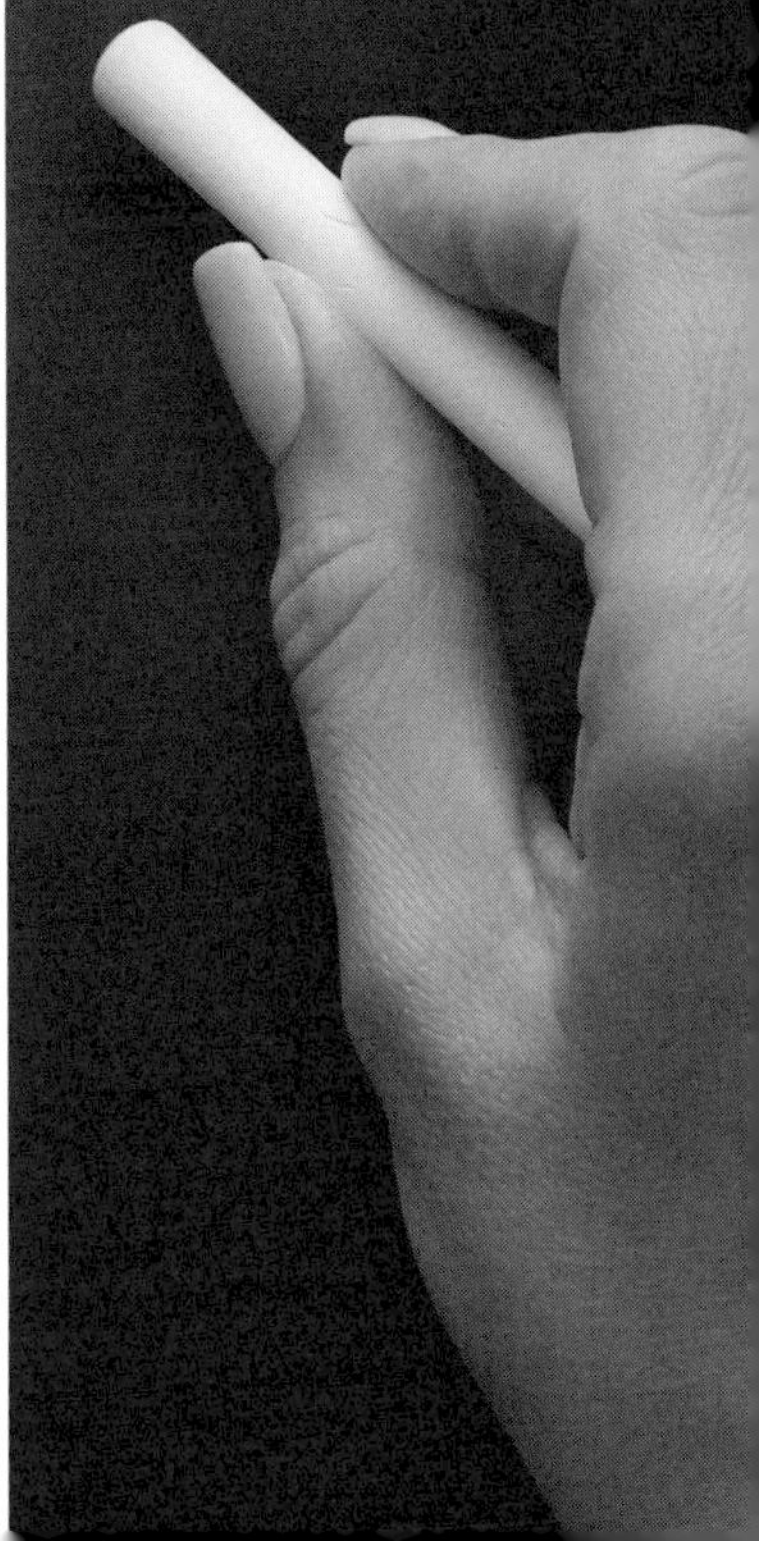

地球は「地磁気」で守られている

ここまで、第1部で〝サイエンスとは何か〟第2部で〝人間の「脳」のしくみ〟についてお話ししてきました。第3部では、現実の社会問題に対し科学はどうかかわるべきか——近年の課題となっているSDGs（持続可能な開発目標）から私たちの寿命と長寿までを、サイエンス脳から考察していきたいと思います。

SDGsに関する諸問題に入る前に、その前提となる「地球」を学ぶ必要があるでしょう。

地球がつくり出す磁場のことを「地磁気」と言います。

方位磁石がいつも北を指すのは、地球全体が磁石になっているからです。

地磁気はどこから生まれるのか？

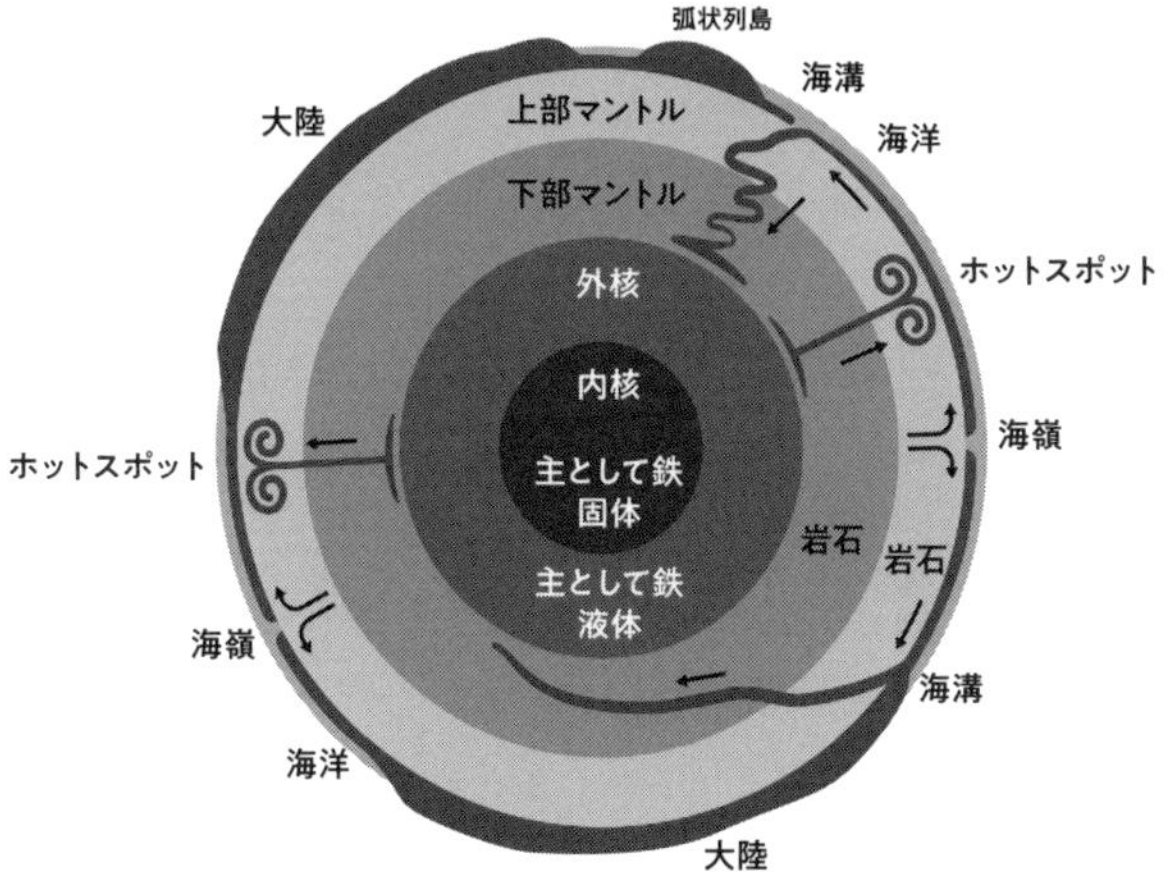

２０２０年５月、欧州宇宙機構がアフリカ大陸辺りの磁場がすごく乱れていると発表しました。地球全体が磁石なのに、なぜ一部地域だけの磁場が乱れるのでしょうか。

地球の中には、海があり、土があります。その下に上部マントル、下部マントルがあり、さらにその下に液体の層があり、その液体の中心に固体があります。

地球を輪切りにしたら、太陽のように光って見えるでしょう。太陽の表面温度は約６０００℃ですが、地球の中心部の温度は約１億５０００℃です。物質は温度が高くなると光を出すので、地球の中心部は太陽のように光っているというわけです。

ちなみに、マントルは宝石の宝庫です。そこには、かんらん石もあります。もちろん、ダイヤモンドもルビーもあります。

地球の中心の外側を流れている液体は、実は鉄が溶けたものです。この液体の鉄が地盤をつくっています。そして、この地盤は液体なので常に動いており、熱対流があるので電気が発生しています。これは電磁波と言われますが、電気が流れれば磁力ができ、その磁力が外に出てくるのです。

このように地球の磁力は液体からつくられているので、この流れの影響で時に磁場の一部が乱れたりするわけです。

そして70万年に1回程度、地球の磁場が反転します。私たちは磁石は必ず北に向くと思っていますが、それは地球が現在の磁場の状態にあるからです。

太陽は、水素とヘリウムが融合して熱を放出します（核融合熱）。太陽は超巨大な原子炉です。放射線などの有害物質が、太陽風となって周囲の惑星を襲ってきます。

地磁気が太陽風を防いでいる

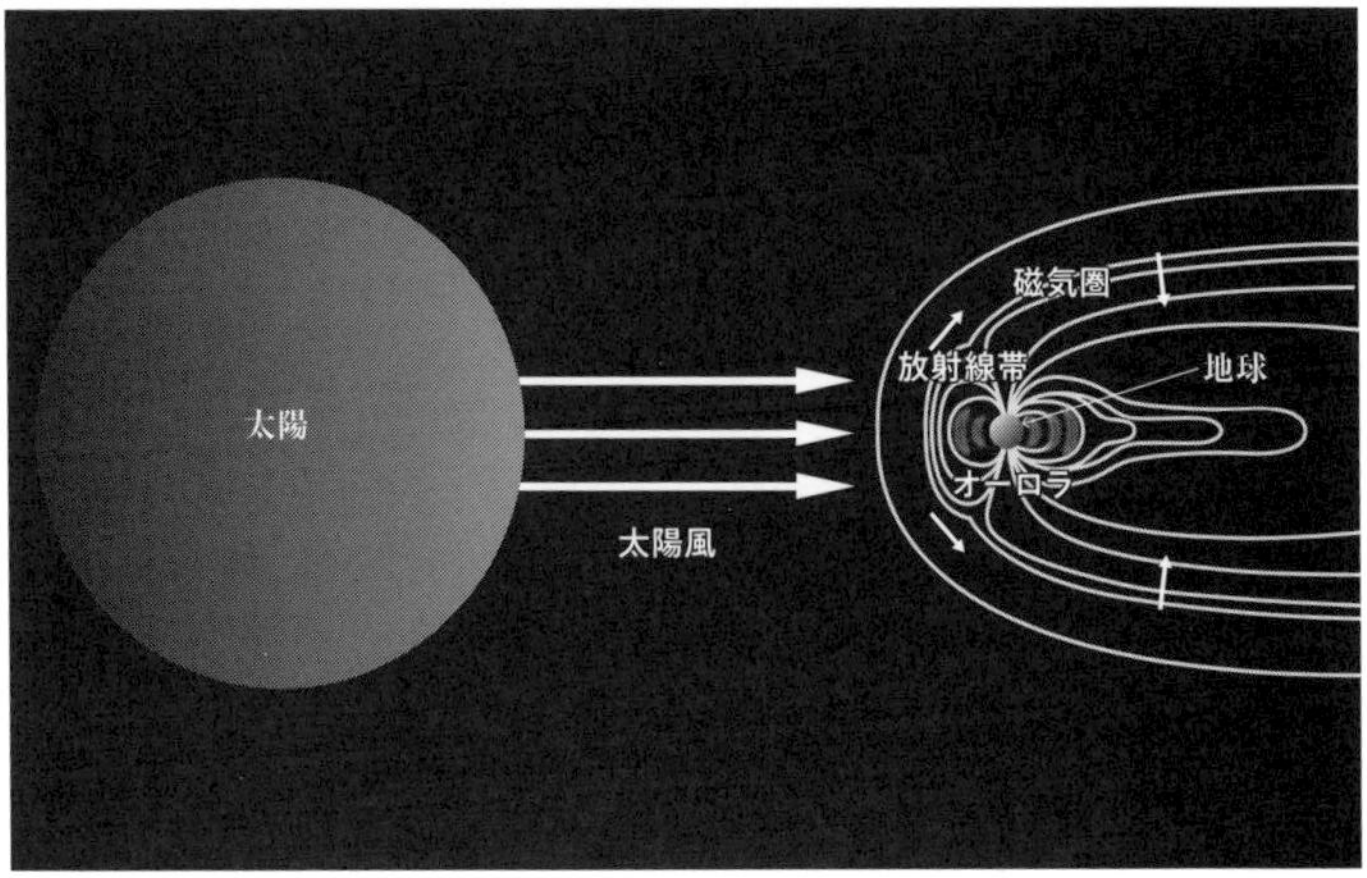

たとえば、火星は地磁気が弱いので、太陽風によってその大気はすべて吹き飛ばされてしまいました。

もし地球が地磁気を失ったら、たちまちこの大気は全部なくなり、私たちは全員窒息死してしまいます。

地球上に生物がいるというのは非常に珍しいケースです。

太陽が近くにないと寒すぎて、生物は生存できません。逆に近すぎると太陽風の放出圧が強すぎて（熱量や放射線が強すぎて）、生物は生存できません。

地球が誕生してしばらく経ってから生物

が出現するのですが、その生物誕生時には放射線が降り注いでいたので、生物は地上には出られず、海の中で暮らすしかありませんでした。当時はまだオゾン層がなかったので、放射線を直接浴びるとすぐに皮膚がんで死んでしまうからです。

実際に、生物は海水面から10m下までは上がってきましたが、それより上に上がっていった生物はみな皮膚がんになり、絶滅したと言われています。

約15億年前に、生物が海の中で酸素を吐き出し、それが生存圏まで上がり、そこで放射線とぶつかってオゾン層がつくられました。そのオゾン層が放射線を防いでくれることにより、生物は地上に出てくることができ、繁殖するようになったのです。

最も安定している物質、「鉄」の力

地球の内部では、液体の鉄がぐるぐる回っていて、いちばん下に結晶状の鉄の塊があります。

鉄の起源は宇宙の誕生まで遡《さかのぼ》ります。宇宙は137億年前に起きた「ビッグバン」と呼ばれる大爆発で誕生したと考えられています。ビッグバンにより、それまでの物質が何もない状態から、原子を構成する陽子や中性子が生まれ、それが結び付いて原子核ができました。このときは、陽子、ヘリウム、電子、電磁波などが飛び回っている混沌とした世界でした。

その後38万年あまりが経過して、宇宙の温度が約3000℃に下がると、原子核に電子が引きつけられて水素やヘリウムの原子ができたのです。

やがて、徐々に原子が集まりガス状の雲となり「恒星」をつくります。そして、その引力で原子同士が押しつけられ、温度上昇によるエネルギーを生み出し、新たに陽子、中性子の結合が進み、水素、ヘリウム以外の物質が次々と生み出されました。これが「核融合」（熱核反応）と呼ばれる現象です。反応を起こすたびに熱が発生し、その熱と圧力でさらに反応が進み、やがてこの反応は「鉄」で終わったのです。

ですから、鉄がいちばん安定しています。「鉄は国家なり」と言いますが、「鉄は宇宙なり」とも言えます。

鉄の生産は紀元前1300年から1200年頃に、現在のトルコ共和国であった古代エジプトのヒッタイト王国ではじまりました。

それまでは、銅しか生産できませんでした。温度が100℃までのものしかつくれなかったからです。鉄は、融点が1700℃もあり、薪をいくら焚いてもここまでは上がりません。

日本でいえば、大和朝廷時代に強かった地域は、関西ではなく関東だったのではないかという説があります。なぜなら関東は「鉄剣」で、関西は「青銅剣」だったからです。鉄の剣を持っている者と銅の剣を持っている者では勝負になりません。まったく戦いにならなかったという説もあります。

オットー・フォン・ビスマルク

伊藤博文

「鉄は国家なり」という言葉は、ドイツ統一を成し遂げたプロイセン首相オットー・フォン・ビスマルクの議会演説「国家は血なり、鉄なり」に由来します。この言葉を日本で最初に使ったのが伊藤博文です。

伊藤博文（明治政府）がドイツを範として今の北九州市に建設したのが官営八幡製鉄所です。ここから明治日本の富国強兵がはじまったのです。

現在、世界粗鋼生産量は合計で約19億tですが、

世界の粗鋼生産の半分以上が中国

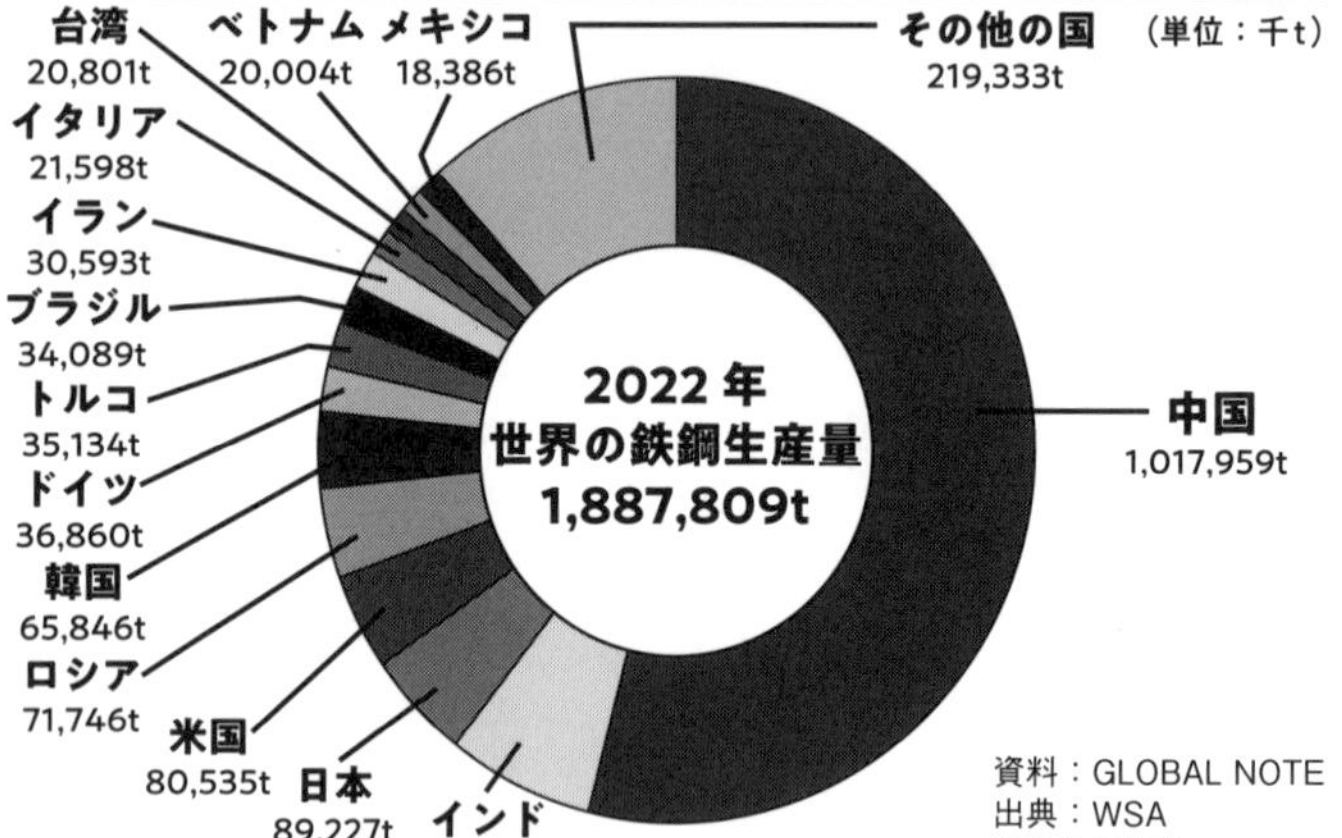

資料：GLOBAL NOTE
出典：WSA
をもとに作成

その半分以上は中国が産出しています。北米＋中南米でさえも全体の7％です。

かつて日本の生産量は全体の10％ぐらいでしたが、今は4・7％とかなり減っています。

1950年頃、アメリカは鉄鋼生産量が圧倒的に多く、次に多かったのがソ連でした。1960年頃、米ソが激しく対立しているときは、アメリカの鉄鋼生産量とソ連の鉄鋼生産量は拮抗していました。

そして、それを追いかけていたのが日本です。1960年から1975年は日本の高度成長期でした。1975年頃には鉄鋼生産量はアメリカ、ソ連と日本は並んでおり、この頃の日本はとても強かったのです。

1970年から1980年にかけては「ジャパン・アズ・ナンバーワン」と言われた時代でした。それは日本の鉄鋼生産量が世界のトップ3になっていたので、国力が引き上げられていたからです。

ところが、鉄鋼生産というのは、生産量が上がっていくとそれ以上は増えなくなるという特徴があります。なぜなら、鉄は生活の基礎となるものなので、1人あたり1年に500kgを超えると、必要がなくなってしまうからです。そのため、その後は各国とも生産量は横ばい状態になります。

一方で生産量が上がっていったのが中国とインドです。両国の生産量はどんどん増えていますが、こちらもそろそろ飽和状態に近づいています。

「鉄の時代」から「シリコンの時代」へ

日本の粗鋼生産量は、1950年から1970年にかけて飛躍的に上がりました。その頃、アメリカにはUSスチールという大会社があり、そこで鉄を大量につくっていました。そんな折、オーストリアで製鉄の新しい方法が発見されました。その頃の日本には小さな製鉄所しかなかったので、日本はオーストリアのこの新技術を採用して、溶鉱炉をすべてつくり直しました。それが功を奏して、生産量がグッと伸びたのです。この粗鋼生産によって、日本の高度成長は支えられました。

アメリカは大きい設備を持っていたために、新技術に変えることができませんでした。そうしているうちに日本に追い抜かれてしまったのです。新技術ができるタイミングとその国の状況が非常に強く関係していることがこのことからもよくわかります。

ところが、1972年にオイルショック（石油危機）が起こり、ここで時代が急激に変わりました。世界の粗鋼生産量がピタッと止まったのです。その代わりに伸びてきたのが、シリコン単結晶生産量です。そして産業が物から情報へと変わり、社会も変わっていきました。

高度成長期の生活では、テレビ、冷蔵庫、洗濯機、自動車が必需品でした。これらはすべて鉄でできています。そのため粗鋼生産量が上がっていきました。そして現在は、パソコン、スマホを買う時代になり、シリコン単結晶生産量が増えてきたのです。

人間は知識があると、資源がいらなくなります。そこで私はどういう知識があれば、どのくらい資源がいらなくなるかということを計算した表を作成してみました。Mbit（メガビット）あたり鉄が何kgに相当するかを計算してみると、たとえば書籍の場合だと1Mbit持っていても0・7gの鉄しか役に立ちません。書籍というのは、読むのに時間もかかるし、能率的ではありません。

資源は「鉄」から「情報」へ

情報分類	相関比	資源性	比
	Mbit/t	kg/Mbit	ー
伴情報（IAM）	2.2	450	1.6×10^5
離情報（IUM）	350×10^3	2.9×10^{-3}	1.0
書籍／PDF	1400×10^3	7.1×10^{-4}	0.25

パソコンやテレビのようにスイッチひとつで得られる情報を「離情報」と言いますが、これが1Mbitあると、およそ3gの鉄くらいの仕事をするという計算になります。

そして、スマホのようにいつでも自分の身体のそばにあるものを「伴情報」と言いますが、これが1Mbitあたり、鉄450kgに値します。

たとえば、クルマに乗る場合、昔はGPSがないので、道を間違えたらまた元の場所に戻ってやり直すか、あるいは何度も違う道を通ったりするなどして、目的地に向かうしか手立てがありませんでした。現在のようにGPSがあれば迷わず目的地に行くことができます。

このように人間の行動がスムーズになると、資源の消耗量も変わってきます。道を間違えたりすれば、その分だけの余分な資源が使われてしまうからです。当たり前のことですが、人間はどんどん効率的なほうへと進んでいくのです。

近い将来、頭に埋め込み式のチップを入れるという時代がくるかもしれません。それだけ社会が大きく変わってきているということなのです。

シリコン単結晶製造技術というものができて、そこに情報を乗せることができることがわかり、それが産業に持ち込まれます。そして、私たちはごく自然にスマホの世界に入り、そしてインターネットで物を購入したりしています。

今は「鉄は国家なり」ではなく、「シリコンは国家なり」という状態へ大きく変容したのです。

「地球温暖化」問題は、科学から逸脱している

ここで改めて「地球温暖化」という問題を整理してみましょう。

まず、大前提として次の3つの科学的事実をおさえておく必要があります。

1. 地球は今、多細胞生物が誕生してから3番目の氷河時代である。
2. 現在は氷河時代の中の間氷期にあるが、あと1000年ぐらいは温暖な気候が続くと予想されている。
3. 20世紀に入り、1940年までは温暖、それから1970年までは寒冷、そしてその後は温暖、と気温は高くなったり低くなったりしている。

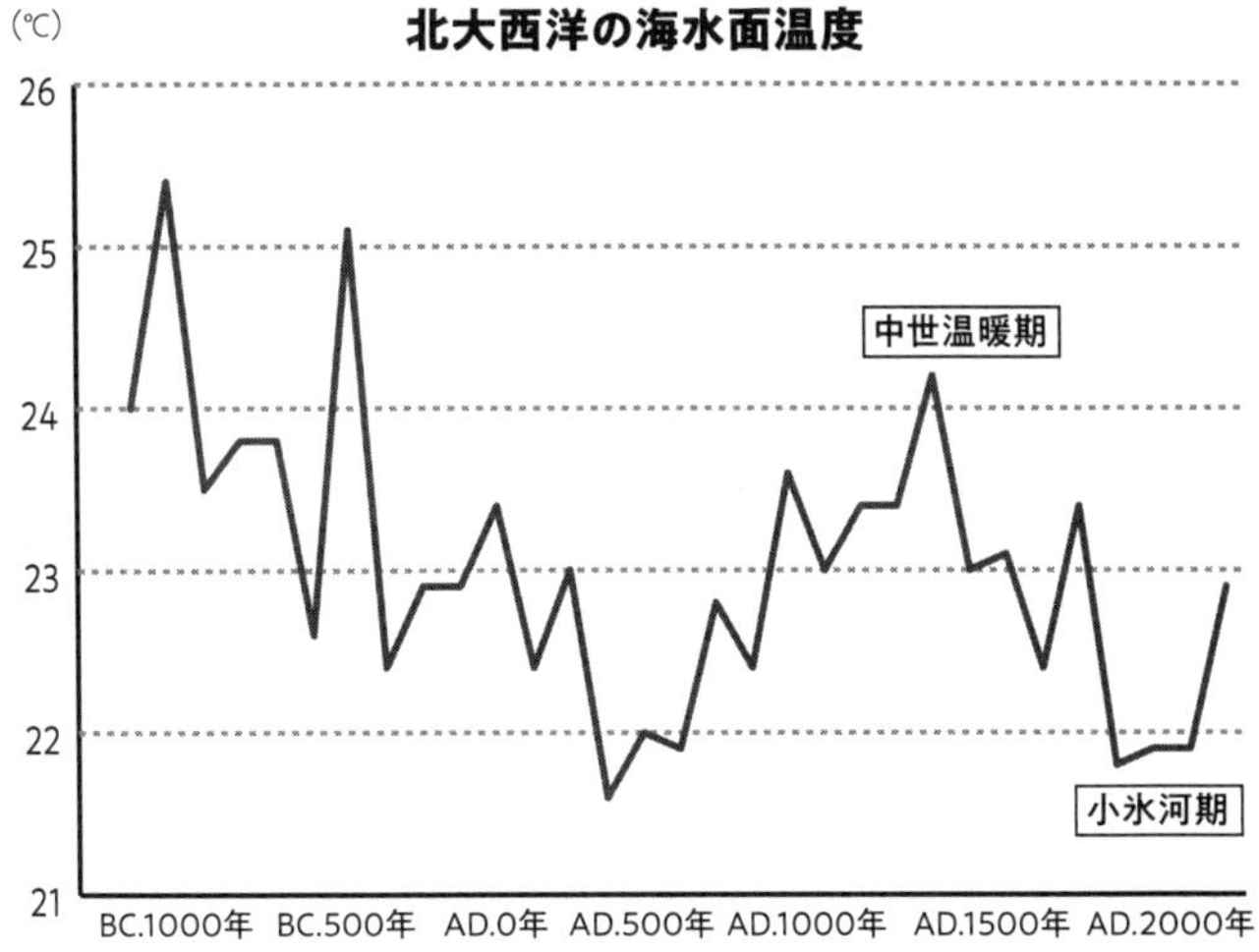
北大西洋の海水面温度
(℃)
26
25
24
23
22
21
中世温暖期
小氷河期
BC.1000年
BC.500年
AD.0年
AD.500年
AD.1000年
AD.1500年
AD.2000年

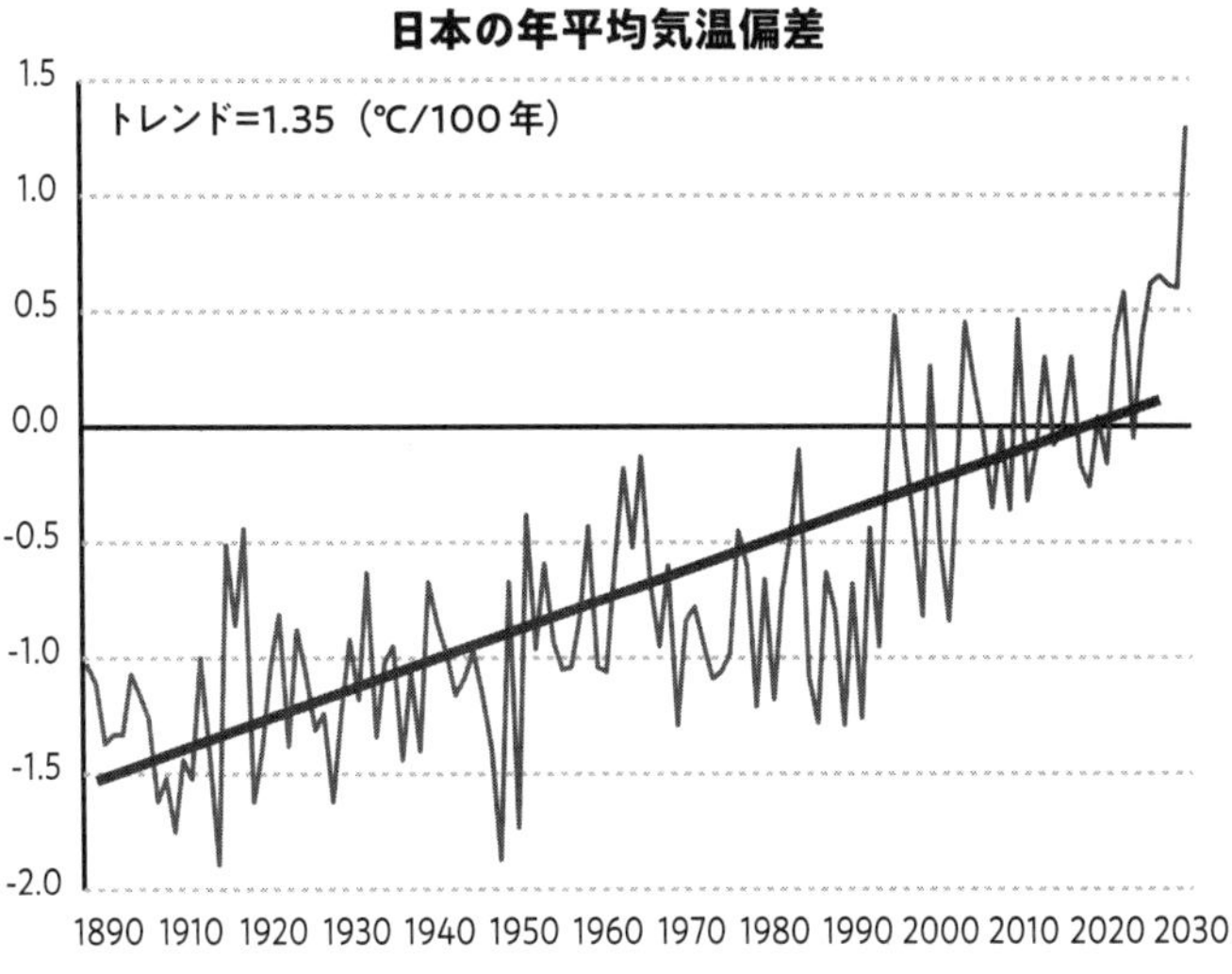
日本の年平均気温偏差
トレンド=1.35（℃/100年）
1.5
1.0
0.5
0.0
-0.5
-1.0
-1.5
-2.0
1890 1910 1920 1930 1940 1950 1960 1970 1980 1990 2000 2010 2020 2030

出典：気象庁ホームページをもとに作成

前ページの上のグラフのように、地球規模では温暖期と氷河期が一定のサイクルで繰り返されています。現在、地球が「温暖化」しているのは確かかもしれませんが、それは大きなサイクルのごく一部を切りとったものでしかありません。

2000年ぐらい前から地球は、500〜600年周期で暑くなったり寒くなったりを繰り返しています。学校で習う「ゲルマン民族の大移動」は西暦400年ぐらいの寒冷期の出来事です。次に西暦1000年ぐらいの温暖期はヨーロッパの北の海が開けてノルマン、バイキングというような人たちが海に漕ぎ出した時期であり、日本でも平安時代の温暖期にあたっています。

さらに、小氷河期と言われる1600年から現在は回復期にあり、現在の温暖化があと200年ほど続くのは当然です。

つまり、現在の温暖化は普通の歴史的な流れの中にあり、日本で平安時代の気温になるのにはまだ200年ぐらいかかるのです。

近年、「観測史上最高気温」と報道されることが度々あります。しかしそれも、〝観測史上〟と言うだけで、〝史上最高気温〟ではありません。長くても100年程度の期間での気温データをもとにしているだけです。

長い地球の歴史の中で「100年」というのはほんのわずかな期間ですから、現在の気候が本当に異常なのかどうかはわからないのです。

実際に、1970年まで地球は寒冷だったので「寒冷化に備える」という研究が行われていました。それが突如、「地球が温暖化する」ということがアメリカ上院で問題視され、その年のうちに国連に「IPCC」（Intergovernmental Panel on Climate Change／気候変動に関する政府間パネル）ができるという騒ぎになったのです。

このときから、日本人は世界で唯一「温暖化を阻止しなければならない」と国民レベルで錯覚するようになりました。

1997年に地球温暖化防止京都会議が行われ、CO2の排出抑制が決まりましたが、実質的に守ろうとしたのは日本ただ1カ国だけでした。

「京都議定書」は、参加している先進国全体に対して次のことを要求しています。

「温室効果ガスを2008年から2012年の間に、1990年比で約5％削減する」

ことに加えて、国ごとに温室効果ガス排出量の削減目標を定めています。この取り決めにより、EUは8%、アメリカは7%、日本は6%の削減を約束しました。

京都議定書で決められた目標値に対し、日本は6%というガス排出量削減の目標を達成しています。日本は税金を約80兆円投入し、エネルギー抑制を行いました。これは納税者1人あたり120万円に相当します。

ところがアメリカは、のちに京都議定書体制を脱退した（批准しないことを明確にした）ため、この約束を破棄してしまいます。

その後、2015年に「パリ協定」が取り決められました。パリ協定は2020年以降の気候変動問題に関する国際的な枠組みで、「京都議定書」の後継となるものです。

京都議定書では、先進国だけがCO_2排出量削減の義務を負わされましたが、パリ協定では開発途上国も削減することになりました。

しかし、今回もアメリカは2017年にパリ協定からの離脱を表明（2020年に正式離脱）し、2021年に再復帰するなど米国内の足並みはそろっていないようです。

「地球温暖化」という問題は、明らかに科学から逸脱しています。はっきり言えば、この問題は、ウソで塗り固まれたある種のイデオロギーであり、利権なのです。イデオロギーや利権に関しては別の機会にお話ししたいと思いますが、ここでは科学的なウソをひとつあげておきます（「脱炭素」は非科学的である、と言う反証は8限目で行います）。

代表的な科学のウソは、「北極の氷が溶けると海水面が上がる」です。これについては、私は著書やテレビなどで何度も説明していますが、まだ理解されていない方がたくさんいるようです。

北極の氷が溶ければすべてが海水になります。しかし、北極の氷がすべて溶けても海水面は1㎜も上昇しません。それは「アルキメデスの原理」によって説明できます。アルキメデスの原理は、古代ギリシアの数学者・物理学者であるアルキメデスが発見した物理の法則です。「流体（液体や気体）中の物体は、その物体が押しのけている流体の質量が及ぼす重力と同じ大きさで上向きの浮力を受ける」というものです。

中学生の頃に、「コップから突き出た氷が溶けても、コップから水が溢れ出ない」という実験をしたことを覚えているでしょうか。

コップの中で起こる現象は、北極でもまったく同じことが起こります。中学校で習うアルキメデスの原理で、北極の氷が溶けても海水面は変わらないということが反証できます。

ところが、この中学生レベルの話が通じません。テレビや新聞の解説者は、中学校で何を勉強していたのでしょうか……。

他方、南極は大陸の上にある氷が溶けて海水面が上がると思われがちですが、むしろ南極の氷は増えるのです。それは、温暖化すると南極周辺の海水の蒸発が増えて「雪」の量が増えるからです。

実際に、ここ数年で南極の氷が1年に1000万t規模で増加していることがNASAの報告で明らかになっています。

そもそも、南極の気温はマイナス50℃という極寒の世界です。仮に、南極周辺の気温が5℃上がっても、マイナス45℃になるだけですから氷は溶けません。

NHKをはじめとするメディアが子どもたちをさんざん脅した、（地球温暖化→北極・南極の氷が溶ける→海水面が上がる）という図式はまったくのウソなのです。

イデオロギーや利権にまみれた大人はさておき、子どもたちは「中学校の理科で教えること」に反する報道で混乱しているはずです。私は理科好きな少年でしたが、もしこのような状態だったら理科を嫌いになっていたでしょう。

科学に反する地球温暖化の報道は、日本の子どもたち、とくに理科の好きな子どもたちをも犠牲にしているのです。

「温暖化」よりも怖い「寒冷化」

先にも触れたように、現在は現代型の生物（多細胞生物）が誕生してから、3番目の氷河時代です。多くの生物にとって寒い時代なので、生物の大半は赤道直下にいます。ブラジルのアマゾンやインドネシアには植物（森林など）が、アフリカのサバンナには動物が快適に生活しています。いわゆる温帯と言われる地域は、家屋、衣服、暖房などが使える人間にはよいのですが、動植物にとっては寒いので、生物の数は赤道直下に比べて極端に少ないのです。

本当に生物のため、自然のためと考えるのであれば、データに基づいた気候の変化などを観測し、それから対策をとるという姿勢が重要です。しかし、今はマスコミや環境運動家の誤った誘導で、「温暖化ガスの増加によって、気候の変化が急激に起こっている」という非科学的な認識が広がっています。

アメリカの上院で「気候変動」の可能性が指摘されてからすでに30年以上が経ったのですが、現実の気候の変動は当初の予想よりはるかに小さいものでした。

そのため21世紀に入ってから環境運動家は、それまで「30年後の気候変動」と言っていたのを、「100年後の気候変動」に切り替えました。30年後だと、最初の予想の時期がすでに過ぎているので、大幅に予想が狂っていることが明らかになってしまうからです。そこで、誰も確認することができない「100年後」としたのです。

現在は「地球温暖化」というと怖いイメージが持たれがちですが、本来「温暖な気候」というのは飢饉の恐れもないので歓迎すべきことでしょう。

ちなみに、人間の身体というのは、地球の気温が26℃くらいのときにできたと言われています。外気が26℃だと、裸でもちょうどよい気候です。

寒暖による身体の不具合は、細胞膜が関係しています。人間の身体は約60兆個もの細胞が集まってできていますが、その細胞膜は脂質（油）でできています。

暑くて苦しいというのは、細胞膜の油が溶けてくるからです。逆に、温度が下がってくると、油が固まってくるので苦しくなるわけです。

たとえば、北極から南極まで渡る鳥は、南極に飛び立つときには自分の細胞膜の油を変えるのだそうです。そうしないと、細胞膜の油が渡りの途中で溶けてしまうからです。

「温暖化」と「寒冷化」では、寒冷化のほうが怖いはずです。世界史をみても寒冷化すると飢饉が訪れて大量の餓死者を出しています。長い歴史の中で、気温が上がったことで大きな被害が生じたというのは特殊な例でしかありません。

アマゾンとシベリアを比較すればわかることですが、生物は高温多湿のアマゾンが最も繁殖し、寒いシベリアでは植物も動物も極めてゆっくりとしか成長しません。生物も体内の反応は化学反応なので温度に強く影響されます。温暖化すると、どこに住む生物も基本的には活発になります。穀物、家畜、魚などすべての食糧生産は上昇し、飢餓の可能性は劇的に低下します。

宇宙線と雲の相関図

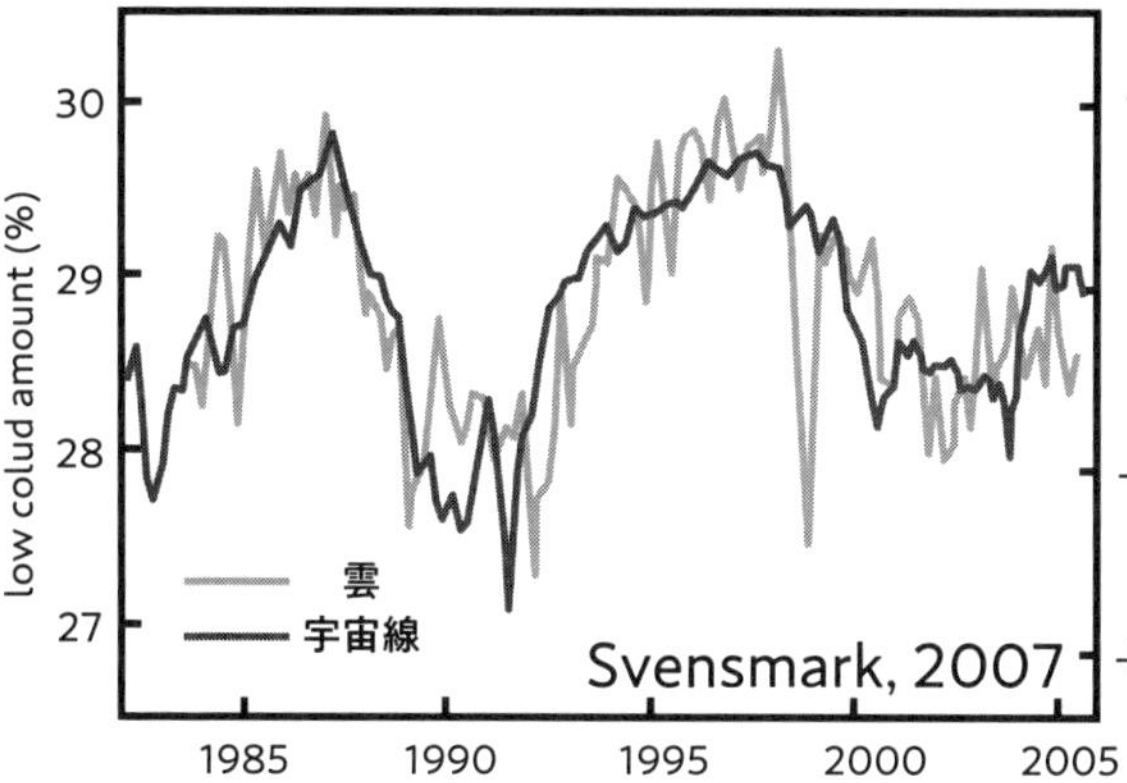

「地球温暖化は怖い、すぐにでも対策をとらなければならない」と言っている人は、これから急速に寒冷化して作物がとれなくなり、餓死者が増えたら、その責任をどうやってとるというのでしょうか。

上の図はデンマークの宇宙学者ヘンリク・スベンスマルクの宇宙線と雲に関する研究のグラフです。これを見ると、宇宙線が増えてくると雲が増え、宇宙線が減ると雲が減ることがわかります。

地磁気で地球を保護しているわけですが、1つの磁場が減ってくると、宇宙から宇宙線が入ってくるので、宇宙線が大気の塵《ちり》を電離させて、プラスマイナスにして、そこが核になって雲ができます。
雲というのは、重たい水や氷の粒が空気中に集まって浮いているものです。これは非常に厳密につくられた特定の浮く粒で、それが崩れると雨が降ります。ある条件が外れると水となって降ってくるのです。

宇宙線が増え、雲が増えると温度が下がります。今さかんに温暖化と言っていますが、少し磁場が減るだけでも温暖化は止まります。

このような状態が全世界に広がると、地球上の気温はおよそ3度下がります。そのため、寒冷化が進むということです。

次ページの図は、「太陽の黒点の数に対する、地球の気温の変化」をあらわしたグラフですが、1600〜1700年の期間は黒点がなくなっています。

黒点というのは、太陽の活動が激しいと噴き出します。黒点の数が多いときは、太陽の温度が上がっているときです。

太陽の黒点の数の変動は11年周期になっていますが、そろそろ黒点がなくなる時期に

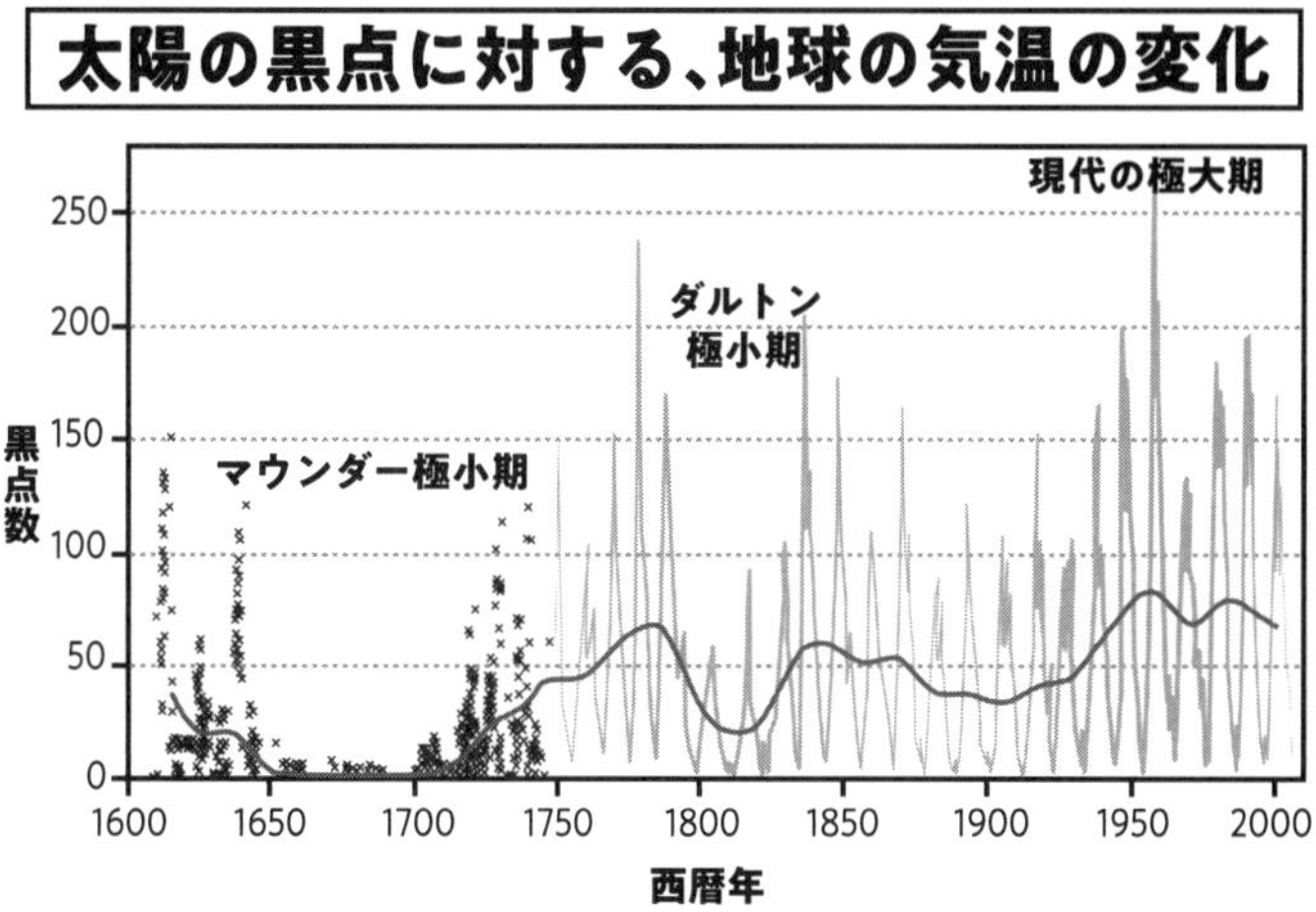

太陽黒点の数をウォルフ黒点相対数（en:Wolf number）の値で集計したもの

なるとされています。

黒点がない状態が100年ぐらい続くと気温は1600年の頃と同じように下がり、かなり寒くなってしまいます。

私が温暖化したほうがいいと言っているのは、現在、このような寒冷化の要因がたくさん出てきているからです。

やはり、温暖化を心配するより、寒冷化を心配するべきです。地球全体の気温を鑑《かんが》みると、地球はむしろもう少し暖かいくらいでいいのです。

8限目 「脱炭素」は非科学的である

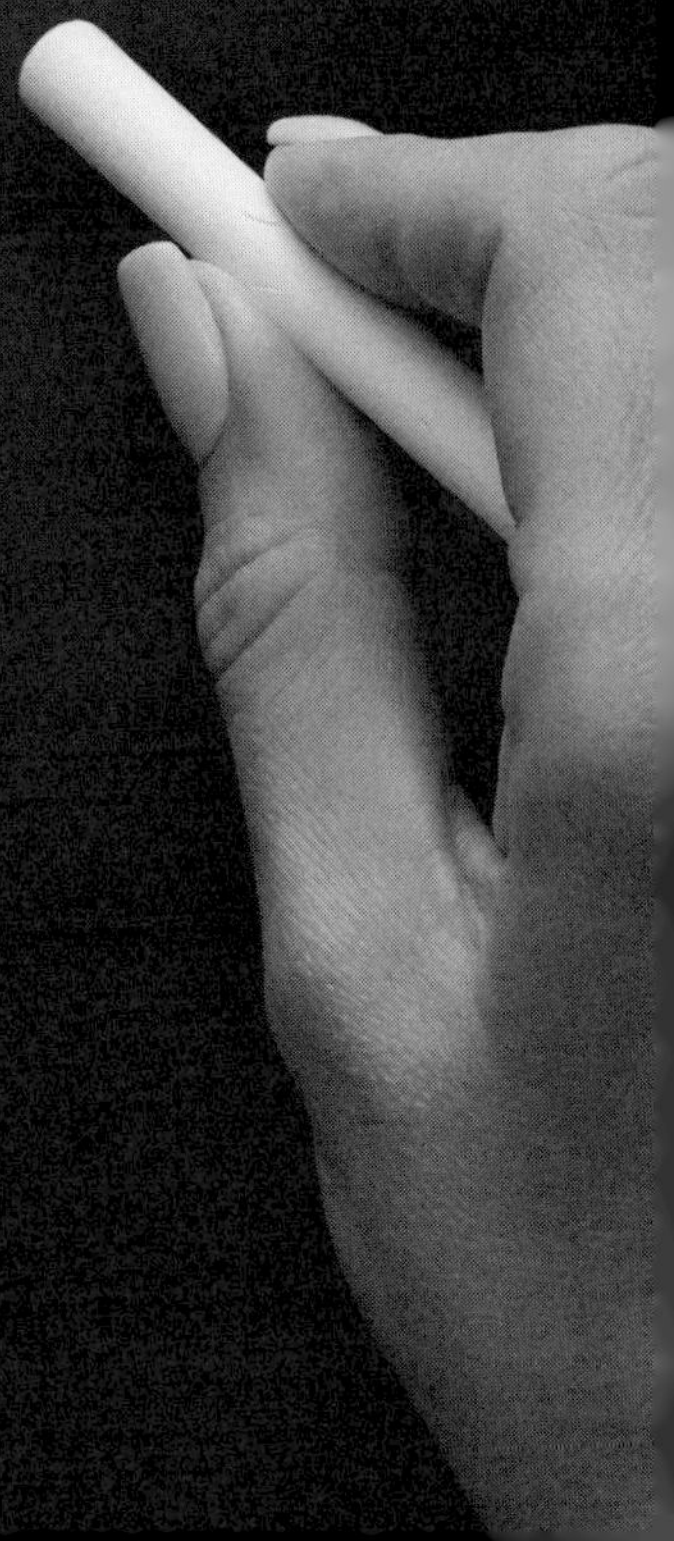

本当に「二酸化炭素」は悪者なのか

SDGs（Sustainable Development Goals／持続可能な開発目標）は、2015年9月25日に国連総会で採択された、持続可能な開発のための17の国際目標です。

①貧困をなくそう
②飢餓をゼロに
③すべての人に健康と福祉を
④質の高い教育をみんなに
⑤ジェンダー平等を実現しよう
⑥安全な水とトイレを世界中に

⑦エネルギーをみんなに。そしてクリーンに
⑧働きがいも経済成長も
⑨産業と技術革新の基盤をつくろう
⑩人や国の不平等をなくそう
⑪住み続けられるまちづくりを
⑫つくる責任、つかう責任
⑬気候変動に具体的な対策を
⑭海の豊かさを守ろう
⑮陸の豊かさも守ろう
⑯平和と公正をすべての人に
⑰パートナーシップで目標を達成しよう

この中で純粋に科学的なものというのは、⑦のエネルギー問題と⑬の気候変動問題でしょう。

とくにこの2つはサイエンス脳で論じる案件ですが、政治家や官僚、マスコミ人の中に「なぜ石油がなくなると思っているのか」「なぜ地球が温暖化するのか」を科学的に説明できる人はほとんどいません。ただ単に「国連で採決されたから、そうしたほうがいい」という程度の理解なのです。

二酸化炭素の増加で地球が温暖化する——これが持続性を左右する非常に大きな因子であると認識されています。しかし、二酸化炭素が減少することのデメリットについて議論されることはありません。本当に、二酸化炭素は悪者なのでしょうか。

地球誕生時の大気中の二酸化炭素の濃度はおよそ95%でした。その後、地球に「命」が生まれましたが、それは二酸化炭素があったおかげでもあります。

植物やプランクトンなどが二酸化炭素を吸収し続けて、現在では大気中の二酸化炭素はわずか0・04%になりました。

食物連鎖の観点からみて、すべての生命の食糧は二酸化炭素であると言えます。

その証拠に、人間の身体も炭素でできています。人体の約6割は水（水素と酸素）ですが、筋肉や脂肪、骨などの約半分は炭素が占めています。私たちの身体の重要部分は、炭素が主体となってできているのです。

人間はある種の欠陥生物で、空気中から二酸化炭素を吸収して自ら炭素をつくるという還元反応をすることができません。人間は稲や麦にその反応を依拠しているわけです。「お稲さんお願いします。二酸化炭素を空気中から吸って、米粒に炭素をつめ込んでください。その炭素の入った米を私たちが食べますから」ということです。

地球上の生命体を持続させるためには、二酸化炭素が必要不可欠です。

だから、二酸化炭素の増加で地球が温暖化する可能性と、二酸化炭素が減少して生物が絶滅する可能性を同列に論じなければならないのです。

「石油枯渇説」の真意は値上げだった

石油・石炭・天然ガスのような資源のことを「化石燃料」と言います。これらは、動植物などの死骸が化石化したものです。

また近年では、メタンハイドレートやシェールガス、ＬＰガスなどの利用も検討されはじめています。

いずれも、かつて生物が自らの体内に蓄えた太古の炭素化合物・窒素酸化物・硫黄酸化物・太陽エネルギーなどを現代人が取り出して使っているのです。

つまり、化石燃料は生物が何億年も前からつくりだした還元炭素が埋没したものであり、現在の人間の消費速度から計算されるこれらの枯渇寿命は約１００万年程度であろうと考えられます。ですので、石油も少なくとも１万年という単位では間違いなくあります。端的にいえば、化石燃料は実体的には「無限」です。

1970年初頭にオイルショックがあり、石油が枯渇すると言われました。もちろんこれは間違った情報ですが、この情報発信にはある目的がありました。

1950～1973年頃まで、原油価格は1バレルあたり、約2ドルでした。当時の中東の原油の利権を握っていたのは、欧米が中心で、具体的にはエクソン・モービルなどの石油メジャーでした。

原油価格2ドルでは儲けることができません。なんとか儲けにつなげようと考えた欧米の国際石油資本（石油メジャー）が、10倍の20ドルまで価格を上げようとしました。

そこで、石油メジャーは、地質学者コリン・キャンベルが発表した「石油が枯渇するグラフ」のようなものを次々と発表し、人々の恐怖を煽ります。その結果、石油がなくなるという考えが世界中にどんどん広がっていきました。

そのため、私たちは石油の値段が上がるのは、石油が枯渇してきたからだと思ってしまったのです。

石油が枯渇するわけはないので、「石油の値段を上げる」ことが目的だったのです。私は資源学が専門なので、そのしくみはわかっていました。

とはいえ、石油の寿命が40年しかないというのは、ある意味では正しいと言えます。なぜなら100年後に使う石油をいま掘ってしまうと、管理が大変だからです。そのため管理ができる40年先しか掘らないのです。

したがって、石油の寿命は40年と言うことができます。だからといって、40年で石油がなくなるというのは詭弁《きべん》でしょう。

NHKなどの各放送局は1973年に石油の寿命をあと40年と言い、それから40年経った2010年にもあと40年と報道しました。NHKは、この時点で事実を正確に伝えるべきだったと思います。

そして国際石油資本家の計画どおり、原油価格は少しずつ上がっていき、その結果、値段は20ドルになりました。

2005年ぐらいからこれまで20ドルを保ってこれたのはそのためです。

つまり、元の2ドルから10倍の値段にするためにマスコミの協力を得たというわけです。20ドルで運営できたおかげで、石油メジャーは栄えてきたのです。

そして、その値段をさらに上げるために、２０００年頃にまた石油の寿命をあと40年と報道したことで、一時１００ドルまで上がりました。そして今は50～60ドルになっているというわけです。

基本的に、金も石油も石炭も鉱物は地中に埋まっている間はタダです。ですから、その値段を設定するのが大変なのです。そのため鉱物会社の役員は値段を上げるのに一生懸命というわけです。ただそれは、そうしないと会社を存続させていくことができないからでもあるのでしょう。

「石油がなくなる」の次は「石油を使うな」

次に出てきたのが、「地球温暖化対策」としての「石油を使うな」でした。

ここで私たちは、「温暖化対策が必要ならば、石油は枯渇しない」ということに気がつかなければいけません。

なぜなら石油がなくなるのなら「温暖化しない」からです。

地球温暖化の大きな要因である二酸化炭素を発生させないために自然エネルギーや原子力を活用しようという動きがありますが、石油がなくなるのであればその必要はありません。ところが、多くの人は論理的に考えられなくなっているのです。

あまりガソリンを使わないようにしている人に「なぜ節約しているのですか？」と聞いたら、「石油がなくなりそうだからです」と答えました。その人が、暑い日にクーラーを消しているので「なぜ節約しているのですか？」と聞くと、「温暖化しないためにです」と言うのです。

この2つの答えは相反しています。石油がなくなるのなら温暖化はしないし、そもそも気温は100年後に数℃しか上昇しないからです。

前述したように、今の気温は生物にとっては少し低すぎます。そのため地球上の動植物はかなり少なくなりました。

生物が生息するためには、気温を上げる必要があるのですが、政府や大手メディアは「石油がなくなる」と言って脅し、その次は「石油を使うな」と言って脅しているのです。

「低炭素」のウソに騙されてはいけない

石油に関する問題に、「何かおかしいのでは？」と気づきはじめる人がだんだん増えてきました。そこで、次は「低炭素社会へ」と言い変えたのです。

「レジ袋がいけない」「プラスチック製のスプーンやフォークがいけない」と言い、2021年に「プラスチックに係る資源循環の促進等に関する法律（プラスチック資源循環促進法）」が成立しました。

しかし、この「低炭素」も根本的に間違っています。

先に触れたように、人間の身体も生物の体もほとんどが炭素でできています（少量の炭素以外の元素もありますが）。もともと「命」が地球に誕生したのは地球の空気に炭素（温暖化ガス＝二酸化炭素）が多かったからで、炭素こそが最も大切な元素なのです。

　そして、人間の生活は炭素化合物と炭素関係の物質の反応でできています。食糧はほぼすべて炭素で、お米、野菜、肉などは炭素からできていますし、三大栄養素と言われる炭水化物、タンパク質、脂肪もほとんどが炭素です。

　また、鉄鉱石やサンゴ、石灰石など人間にとって大切な資源の多くが生物の活動（炭素の活動）によってできています。

　鉄鉱石は海に溶けていた鉄が生物の生死を通じて沈殿し、縞状鉄鉱床をかたちづくっています。サンゴや石灰石は、温暖化ガスとカルシウムの化合物が結合したもので、これも炭素と深く関係しています。

　もちろん、石油は動物の死骸、石炭は植物の死骸が主たるものですし、生物の活動によって地形そのものも大きく変化していますから、現在の私たちの生活は炭素なしでは考えられないのです。

「炭素は悪者だ。低炭素が良い」と子どもが言うのは仕方がないとしても、産業界で主導的な立場にある人が「低炭素社会へ」などと言うと、この人は学生時代に眠っていたのか、それとも今は利権だけを追い求めているのかと思ってしまいます。

このようなウソを言っている人たちの多くは、政治家、文化人（大学教授やテレビの評論家）、環境運動家です。

「脱炭素」対策を進めてきた環境大臣・小泉進次郎（当時）の〝資産〟の使い道の多くは炭素です。つまり、洋服を買えば炭素、クルマを買えば炭素、食事もほとんど炭素です。小泉進次郎は、炭素を買い、炭素を食べながら「炭素を減らせ」と言っているのです。

「脱炭素」を取り上げている各メディアやテレビの解説もすべてウソです。報道している人すべてが炭素のおかげで生きているからです。

実は炭素以外のものを探すほうが難しいのです。人間というのは炭素を摂って、身体で燃やしてCO2にしているわけです。炭素がなければ、人間は死んでしまいます。

そして炭素は、炭素以外のものには変えられません。

「環境を大切に」というのは、実はお金と暇がある人が茶番をやっているだけなのです。

9限目　「原発」の常識・非常識

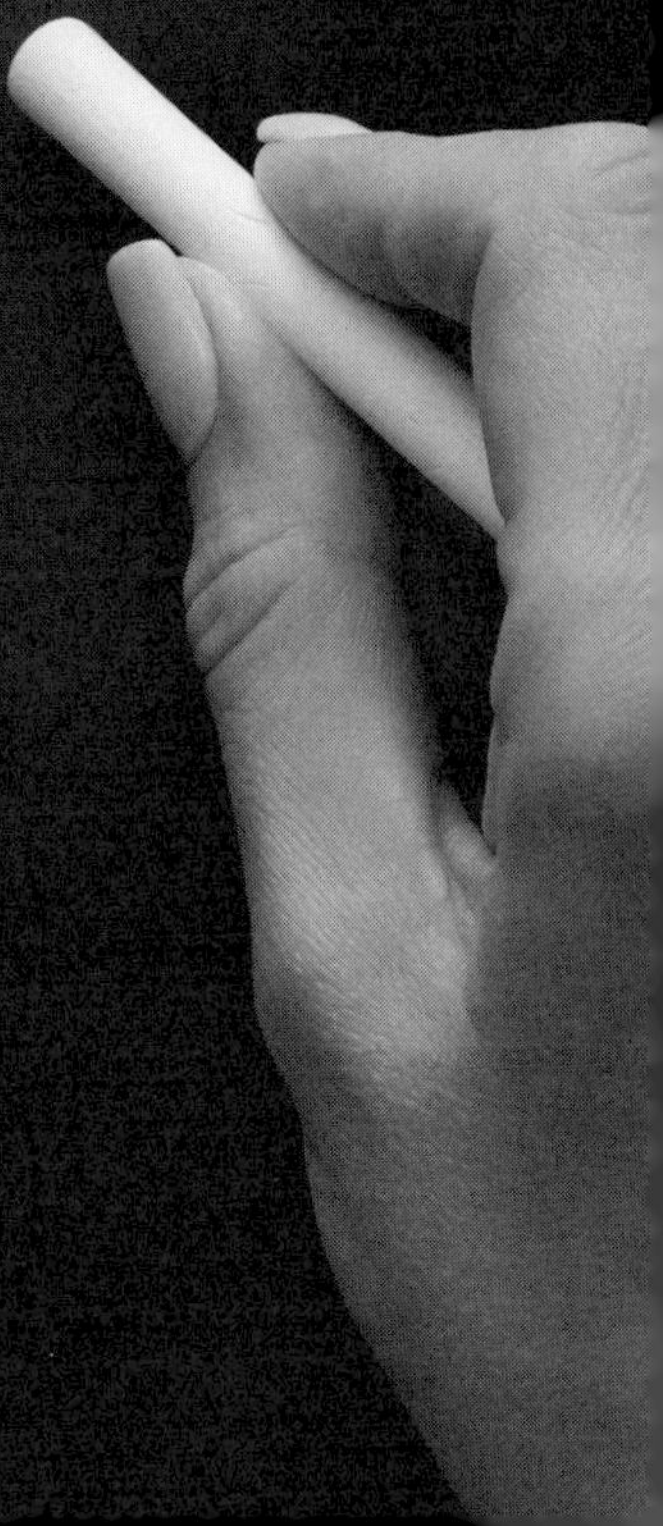

なぜ日本の「原発」はフル稼働できないのか

ＳＤＧｓの時代に、避けて通れない問題が「原子力発電」をどう扱うかです。化石燃料は枯渇しないとはいえ、エネルギー費用の高騰や資源量の低減と獲得競争などもあり、現在はエネルギー問題の過渡期と言えるでしょう。「エネルギー安全保障」の問題が各国で浮上するなか、ふたたび原発に注目が集まっています。

東日本大震災（２０１１年3月）の発生前、日本には54基の原発があり、日本で使う電力の30％前後を原子力で賄っていました。事故から12年以上が経過した現在、廃炉を除く原発33基のうち再稼働したのは大飯（関西電力）、高浜（関西電力）、玄海（九州電力）、伊方（四国電力）などの発電所の12基のみ。今年（２０２４年）には東北電力女川原発2号機と中国電力島根原発2号機の2基が再稼働する見込みです。

このような状況下で、２０２４年1月1日の16時10分に石川県能登半島沖を震源とする最大震度7を記録した大地震が発生しました。元日で帰省している方も多く、大きな被害をもたらしたこの大地震は「令和6年能登半島地震」と命名されました。

本書執筆時でも多くの方々が避難活動を余儀なくされていて、大変な状況が続いています。

新聞報道によると、岸田文雄総理は1月14日、能登半島地震の被災地を初めて視察。視察後、地方自治体が管理する道路などのインフラ復旧工事を国が代行できるように、能登半島地震を大規模災害復興法に基づく非常災害に指定する方針を明らかにしました。

災害対応のために、新年度予算案に盛り込まれた予備費を1兆円に倍増することも表明しました。また、地震で施設にトラブルが生じた「北陸電力志賀原発」の再稼働について問われ、新規制基準に適合すると認めた場合のみ、地元の理解を得ながら再稼働を進める方針はまったく変わらない。原子力規制委員会の審査を尊重する考えを改めて示しました。

日本では原発推進派と反対派の対立が続いており、読者の皆さんも各々のご意見があるかと思います。

ここからは、ウラン濃縮等の研究開発に携わり、原子力委員会にも所属していた私の実体験も含めた日本の原発に関する問題点を検証していきます。

正直に言って、私は日本に安全な原子力発電所ができるのがいちばんいいと思っています。その意味で、私は原発推進派です。しかし、現在の原発は不完全であるので、改良が必要だと考えています。この点から、私を原発反対派だとする人もいます。

まず、原発の不完全さについてお話ししましょう。

現在の原発は設計的に、震度6以上の地震が起こったら壊れる可能性があります。私は技術者として、日本人として、震度7でも耐えうる原発をつくる必要があると思うのです。

しかし、今回の能登半島地震のように、日本には震度6以上の地震がきます。大地震に対する安全性が確保できない状態で、原発を稼働してはいけないというのが私の立場です。

震度7でも耐えうる原発をつくる、もしくは、壊れる可能性を考慮に入れ、そのことを地域の住民に納得してもらい、厳重な検査をしたり、事故が起こった際の緊急プランを作成したりするなど、あらゆる事態を想定して安全に重きを置いたうえで稼働するのであればいいでしょう。

しかし、日本での原発の運用は安全に最大限配慮しているわけではありません。

そもそも、政府や原子力村は「安全な原発だけを稼働させている」と言いますが、それならどうして大都市から離れた海岸線に原発を設置しているのでしょうか。

●なぜ海岸沿いだけに建てているのか？
●なぜ川の上流や湖付近に建てないのか？
●なぜ東京に供給する原発は福島県や新潟県にあるのか？

これらの素朴な疑問に、科学的な説明がなされたことはありません。

フランスは日本と同じように原発が約50基あります。フランスの人口は日本の3分の1〜4分の1ぐらいですが、電力の70％ぐらいを原発で賄っています。

フランスの原発の立地場所は、ほとんどが川の上流です。その川の水を、下流では農業用水や飲料水として使っています。

なぜ日本でフランスと同じことができないのかというと、やはり原発が危険だからでしょう。

本当に日本の原発が安全ならどこにつくってもいいはずです。

原発推進派も心の底では、原子力発電所は危険だと思っているから、東京から200㎞離したいのです。原子力発電所から放出される水は危険だと思っているから、川の上流や湖のほとりには設置しないのです。この本心を覆い隠しているから、日本の原発問題は根本的な解決に至らないのです。

では、フランスはなぜ川の上流に原子力発電所を設置しているのでしょうか。それは、フランス人が「原発は安全」と確信しているからです。

フランスでは、原子力発電所を安全に運用し、汚染水も流さない。だから川の上流につくれたのです。

勘違いしてほしくないのは、日本の原発がフランスの原発より劣っているわけではないということです。

日仏の安全性については、設計の違いというよりも、大地震があるかないかでその危険度が違ってきます。

ここで改めて、福島原発事故（福島第一原子力発電所事故）を再考してみましょう。

福島原発事故は、2011年3月11日に発生した東日本大震災とそれに伴う津波により、東京電力の福島第一原子力発電所で発生した原子力事故と説明されます。

福島原発事故は、1986年4月のチェルノブイリ原子力発電所事故以来、最も深刻な原子力事故と言えます。国際原子力事象評価尺度（INES）において、7段階レベルのうち、当初はレベル5に分類されましたが、のちに最高レベルの7（深刻な事故）に引き上げられました。

あまり知られていないようですが、福島原発を襲った津波は原子炉建屋まで行っていません。海水は流れていきましたが、津波そのものの大きな力が加わったわけではないのです。

津波が怖いのは、その巨大な力ですべてが流されるからであって、水が流れてきたことによる被害で「津波が原因」という表現を使うのは適切ではないと思います。

福島原発では原子炉建屋の外側にタービン建屋というものがあったのですが、津波の勢いはタービン建屋で止まりました。

そのあとはチョロチョロとした水がタービン建屋の間を通って、原子炉建屋のほうに流れていきました。そして、地下にある電源装置に海水が入り、電源が落ちてしまったのです。

2011年の福島原発事故の原因は、正確には「浸水」です。

このことを正確に発表しなかった理由は、津波が原因なら津波の対策（防波堤をつくるなど）をすればいいのですが、浸水が原因なら浸水防止の構造に原発をつくりかえなければならないからでしょう。

日本以外の諸外国は震度6以上の地震がくる可能性があるところには、原発を設置していません。ヨーロッパでも震度5・5ぐらいまでの地震がくる可能性がある場所や火山の多いところでは原発を設置していません。

日本で原発を運用するためには、安全を確保するための設計を日本独自で進めていく必要があります。そして、地震大国の日本で安全に運転できるような原発を開発できたら、それは世界中のどこにでも売れます。

日本のトヨタ自動車が世界的に名声を博しているのは、世界中のどこの道を走っても安全・安心だからです。トヨタは技術開発をし続け、安全性のテストを繰り返し、信頼を得てきたのです。それでも自動車事故というのは起こりうるわけです。

原発も、自動車産業のような状態まで持っていきたい。私は日本人としての誇りがあるので、フランスが川の上流に原発をつくっているのに日本がつくれないというのは我慢できません。トヨタとルノーを比較しても、技術に関しても管理に関しても、日本のほうが上です。

また、地震というのは海沿いに起こりがちです。

日本は周りを縁取るように地震多発地帯があります。日本列島のつくりからいって内陸のほうが安定しています。ですから、日本では湖や川の周辺に原発を設置したほうが安全です。

私が原発推進の責任者だったら、震度6以上の地震に耐えうる原発をつくり、琵琶湖や信濃川付近などに設置します。日本の技術をもってすれば、これは可能であると考えます。

人は騙せても、自然は騙せない

原発に関する問題点として、「違反」が多いということがあります。原発は危険だと思われているにもかかわらず、保安規定で決められたことを実施していない原発が少なくないのです。それは原発関係者が傲慢であり、安全性よりお金を優先しているからでしょう。

2011年3月11日夕、福島第一原子力発電所は浸水によって原子炉の冷却に必要な電源を失いました。1~3号機の炉心が溶融し、12日午後に1号機原子炉建屋が爆発。2日後の14日午前、3号機建屋で激しい爆発音と噴煙が上がりました。15日朝、原子炉に核燃料を装填していなかった4号機建屋が爆発しました。この時点で、国際的な尺度で最悪の「レベル7」と暫定評価されたのです。

福島原発はなぜ爆発したのか。原子力発電所というのは発電機の魂のようなものです。常に電気が供給され、ポンプが回っていないと爆発してしまうのです。

通常、原発には電源が4つあります。

電力会社から電気を受ける第1電源があり、その第1電源が止まると第2電源が作動します。そして必ず、第1電源と第2電源は場所を変えて設置します。

2つの電源を同じところに置いたら意味がありません。火災があったら両方ダメになりますし、水没でも両方ダメになります。だから第2電源は、第1電源からかなり離して、たとえば小高い丘の上のようなところに置くのです。

第1電源は能率上、地下に置いてあるので浸水したりします。そのような場合に、第2電源に切り替えるわけです。これは両方とも同じ電力会社からの電気です。

第1電源が故障したり、浸水したり、火災が起こったとしても、およそ1〜2㎞先にある第2電源から電気が供給されるのです。これで原発は十分に動きます。

第3電源として「ディーゼル発電」があります。供給先の電力会社側に大きな事故があったりして、電気を受け取れないということが起こったとき用の電源です。

このディーゼル発電は、トラックの上に積まれているのが一般的です。燃料は軽油で、補充ができます。そして移動もできるので非常に安全です。

東日本大震災のとき、青森の原発では第1電源と第2電源が切れたのですが、ディーゼル発電でしばらくつないで、爆発からも逃れることができました。

第1・第2・第3すべての電源がダメになった場合を想定し、「巨大バッテリー」も用意されています。これが第4の電源です。あくまでも緊急用ですが、約8時間は持つようになっています。

ところが福島原発では、第1と第2電源、ディーゼル発電、そしてバッテリーのすべてが地下室にあったようで、同時にダメになったのです。この他にも違反があったそうですが、この事故の直接の原因となる違反はこれでしょう。

この違反は、誰の責任なのか。国としてどう対処すべきか。原発のどこを改良したらいいのか。今後の運用システムや安全性をどうしていくのか……。責任の所在や事故の原因の追究、技術開発などやるべきことは山ほどあるはずなのに、福島原発事故では誰もが黙っていたのです。

国民を騙せればいい。国民を騙すにはマスコミを騙せばいい――。この事故を教訓として、原子力発電所をより安全にし、国民に安心してもらう、という方向では誰も動かなかったのです。

科学技術というのは「自然」が相手です。

相手が同じ人間なら、一生騙し続けることができるかもしれません。実際に、そうしている人はたくさんいます。自分の人生をウソで固めていけると思っている人もいるのです。

しかし、科学技術はそうはいきません。自然に対しては、絶対にウソをつけません。ウソをついても、必ずそれは明らかになります。故障したり、事故が起こったりと、これは原発に限らず、飛行機でも自動車でも、変わりありません。

科学技術でウソをつくと、自然から強烈なしっぺ返しをくらってしまうのです。

原発反対派も賛成派も同じ穴の狢

私がまだ原発の研究に携わっていたときの話です。

原発の安全性について少し疑問があったので、「原子力村」に反証したのですがまったく議論になりませんでした。原発の危険性を話題にできない空気が漂っていたからです。

仕方がないので、原発反対派の講演会や討論会に行きました。反対派の人たちはどういう点に危険を感じているのかを知ろうと思ったからです。

ところが、ここでもまったく相手にしてもらえません。「あなたは原子力をやっている側の人間ではないか！」と、敵扱《かたき》いです。「原子力をやっている人間だからこそ、その危険性を訴えている方々に質問したいのです」と言っても、質問すらさせてくれません。

発言できないので隅のほうでしばらく観察していましたが、反対派の大学教授が中心になって「反対だ！　反対だ！」と言ってアジテートしている姿を見て私はガッカリしました。

反対派は「危険な原発を、どのように改良したら安全にできるのか」などには興味がないのです。ただ単に、イデオロギーとして反対しているにすぎません。

ここでは書けないような話もたくさんありますが、結局のところ原発推進派も反対派も、同じ穴の狢《むじな》です。自分たちに都合のよいデータを集め、自己満足しているだけなのです。

原子力推進側も反対側も、「原発を推し進めるか、やめさせるか」ということにしか興味がないのです。両者で揉めている真因は、「日本を愛している人がいない」ということです。

だから自分が反対派に属していたら反対、自分が賛成派に属していたら賛成なのです。

本来、中立の立場である「日本原子力学会」も原発推進派になっています。日本原子力学会のホームページには《日本原子力学会とは、公衆の安全を全てに優先させて、原子力および放射線の平和利用に関する学術および技術の進歩を図り、その成果の活用と普及を進め、もって環境の保全と社会の発展に寄与することを目的とする、日本で唯一の総合的な学会です》と記されていますが、実態がともなっていません。

私は原子力学会にも失望しています。かつて原子力学会から表彰を受けたりはしましたが、私が東日本大震災における福島原子力発電所の不備を指摘したら、学会は露骨に拒否反応を起こしました。

もともと私が原子力を研究していたのは、原子力が日本のエネルギーとして有効だろうと思ったからです。そして、原子力発電所を設置する際、いちばん大切なのは「安全性」です。その安全性を曖昧にしている学会に存在価値があるのでしょうか。

「技術」より「お金」が国を亡ぼす

日本の原発は、安全性全を高める研究が十分にできていません。なぜなら、「危険性はない」ということになっているからです。

現状、原発の再稼働は、政府が「新規制基準に適合すると認めた場合」ということですが、これは「認めない場合もある」ということでしょう。すなわち、「危険性はある」わけです。

そういう非常に微妙な段階で原発の運用をしているから、福島原発の事故が起こったのです。

科学はトライ&エラーで発展していくしかありません。福島原発の事故については、原発の関係者、とくに技術者は猛省しなければなりません。もちろん、私もそのひとりです。

ですが、この事故を教訓として「今の原発には危険なところがあるのでそれは改良します。国民の皆さまに、安心してもらえるような原発をつくり……」ということを少なくとも技術サイドが言わないといけなかったのです。

たとえ反対派がいたとしても、科学が政治に流されてしまっている状況では未来はありません。

それにしても、日本の技術者はひ弱になってしまいました。私の大先輩で原子力に携わっていた三島良績《よしつぐ》先生は筋が通っていました。「現状の技術では無理です」とはっきり言い、政治の圧力に負けず、安全性にとことんこだわっていました。

それはやはり自分たちの技術そのものに誇りを持っているからです。私が若い頃は、そういう先生方の薫陶《くんとう》を受けました。

私は「武田先生、日本に原発がなくなってしまったら、エネルギーはどうするのですか」とよく聞かれるのですが、そういう問題ではなく、技術の問題なのです。

エネルギーの問題は政治的にもいろいろ議論しなければならないのですが、技術のほうは技術的な問題として議論しないといけないのです。

ここまで原発の技術者へ苦言を呈してきましたが、彼らの立場もわかります。日本の科学者はみな資金面で苦労しています。資金力のある学者は別にして、やはり政府の方針に従わないと研究費が途絶えてしまうのです。

名古屋大学の教授時代、私の研究室は比較的大きな施設でしたので年間費用が5000万円くらい必要でした。そのうちの2000万円は国が出してくれますが、残りの3000万円は自分で集めないといけないのです。

私は企業から資金提供をしてもらうなどしていましたが、多くの大学教授は国からの補助金で賄っています。

1990年ごろから、「役に立つ研究」「国立研究所重視」という政策がはじまりました。役人が決める「役に立つ研究」に資金が出るようになったのです。役人は形式を整えますから研究費を分類し、それに東大教授を中心とした「審査システム」をつくり上げました。

まず、大学教授が文部省や経産省、厚労省、環境省などへ研究費の申請を出し、それを東大教授が審査するというものです。その結果、研究者たちは東大教授にゴマをすったり、そのときの国策にあった研究を申請したりすることになりました。

東大教授や高級官僚、政治家の多くは私利私欲で動きますから、これによって御用学者とゴマすり学者が幅をきかせるようになったのです。

それに加えて、学問が大型化するとともに「国立研究所」などの力が大きくなり、環境問題では「地球温暖化計算のためのスーパーコンピュータ」「環境観測の大がかりなシステム」などを国立研究所主導で進めていきました。

その結果、政府が「温暖化と言えば温暖化」「東海地震と言えば東海地震」というように、純粋な学問とは無縁の研究にお金が流れることになったのです。

日本の学問的研究のレベルは「役に立つ研究」によって大きく後退し、役に立つかもしれない研究はほとんどカットされました。なにしろ「現在、役に立つと考えられる研究」に資金を出すというのですから、「どうなるかわからない研究」には出ません。

もともと、研究の8割はどうなるかわからないものなのですが——。

何の役に立つかが最初からわかる研究は想定内のものですから、結果的にはそのレベルは下がります。そして、真面目で優秀な研究者ほど淘汰されていきます。

国民は口八丁手八丁の世間的に受けのよい御用学者やゴマすり学者の研究のために税金を払うことになり、審査の機関などの天下り組織の人の人件費をも負担することになります。

さらに、福島原発のような事故が起こると御用学者は政府の方針に従いますから、国民は事実関係がいっこうにわからないという二次的な被害を受けてしまうのです。

原発問題にみる、日本社会の不誠実さ

今の日本は、本当のことを言った人が排斥されるという、逆転現象が生まれるようになりました。

福島原発事故発生時、原子炉で燃料溶融が起こり、メルトダウンしているということを新聞社やテレビなどのマスメディアはわかっていました。ですが、このことを伝えると、みんなが驚いて逃げ惑い、大変なことになってしまいます。できるだけ多くの人を福島に留めておかなければならない。福島県庁も政府もそう思い、その事実を隠したのです。

とはいえ、ずっと隠し続けることはできません。事態が少し落ち着いてきた約2カ月後に、「実はメルトダウンをしている」と東電が発表しました。マスメディアは初めて聞いたようにそれを報道したのです。

東日本震災後の記者会見は、日本の記者向けと海外の記者向けの2つがありました。ところが、震災から約1カ月後の海外の記者向けの会見には誰も来なかったそうです。なぜ海外の記者が来なくなったのかというと、決して関心がなくなったからではなく、ウソばかりが発表されていたからでしょう。先ほどのメルトダウンの件のように、日本政府もマスメディアも本当に落ちぶれてしまいました。

ウソばかりついているということが海外の記者たちはわかっています。なぜなら個別に取材すると、みな記者会見とは違うことを言うからです。そんな本音と建て前が混在したような記者会見を信じ、記事にして本国に送ることなどできない。不確かな情報を報道してはいけないと、先進国のジャーナリストたちは心得ているからです。

独自取材した内容と公的な記者会見の内容があまりにも違うので、海外の記者が来ない――。このことは、日本人がウソをついているということの証左です。

先の大戦時では欧米列強はウソをつきまくって国際社会のルールを捻じ曲げていたのですが、当時の日本人は決してウソをつかず、ルールを厳守していました。それが今は逆転してしまいました。海外の記者は誠実で、日本の記者は不誠実になってしまったのです。

また、東日本大震災から4カ月ぐらい経ったとき、ある大手新聞社の記者にインタビューを受けて私はさらに衝撃を受けました。

福島原発の事故直後、東京から福島に派遣されていた記者は、被爆の危険があるということで全員が東京へ引き上げたそうです。それでも、福島は安全だという記事を書き続けた。自分たちは逃げているのに、「逃げる必要はない。逃げたほうがいいと言っている人は間違いだ」と言い続けたわけです。

そして4カ月後、その記者が放射線防護服を着て恐る恐る福島に行ってみると、地元の人たちは普通の服装で暮らしていたのです。その記者が「その格好では危険ではないですか？」と聞くと、「新聞に安全だと書いてあるから」と言われて、反省したというのです。

その記者は誠実な方で、「私はこのことを記事にする勇気がない。武田先生なら、本当のことを言ってくれる」と私に本心を打ち明けてくれました。

しかし、私ならそんなことを強制するような新聞社はすぐに辞めます。なぜなら、自分の魂が汚れるからです。新聞記者は、自ら取材したことをきちんと伝えなければなりません。このような間違った報道をした新聞社は新聞社と言えるでしょうか。

私は英語も読めるので、海外からの記事などで時事問題をある程度フラットに見ることができます。ですが、大多数の日本人は大手新聞やNHKなどの情報を頼りにし、それを固く信じています。マスコミ人はそういう純粋な人たちに対する心の痛さを感じないのでしょうか。

昨今の自民党の「裏金問題」も同様です。

今回、問題となっているのはパーティ券販売のノルマを超えた分の議員へのキックバック、これを派閥側、議員側双方が政治資金収支報告書に記載していないことです。

本来であれば、政治資金規正法にのっとり、双方とも「寄付」としてそれぞれの政治資金収支報告書に記載していれば何の問題もありません。しかし、今回はこの裏金が所属議員の懐に入っているため、議員は「雑所得」として申告し、所得税を納める必要があります。

つまり、裏金のキックバック問題に関しては、所得税法違反にあたります。

この件に関して、政治家はいつものごとく、秘書や会計責任者へ罪をなすりつけます。マスコミも真相を追究しませんから、うやむやのままで収束しそうです。

このように、今の日本では本当のことを言わない人、ウソをつく人が得するようになっています。政治家、官僚、専門家、そしてその発表を垂れ流すだけの新聞やテレビ、それらに煽られた国民……残念ながら、日本社会は不誠実になってしまったのです。

10限目　「寿命」と「長寿」のサイエンス

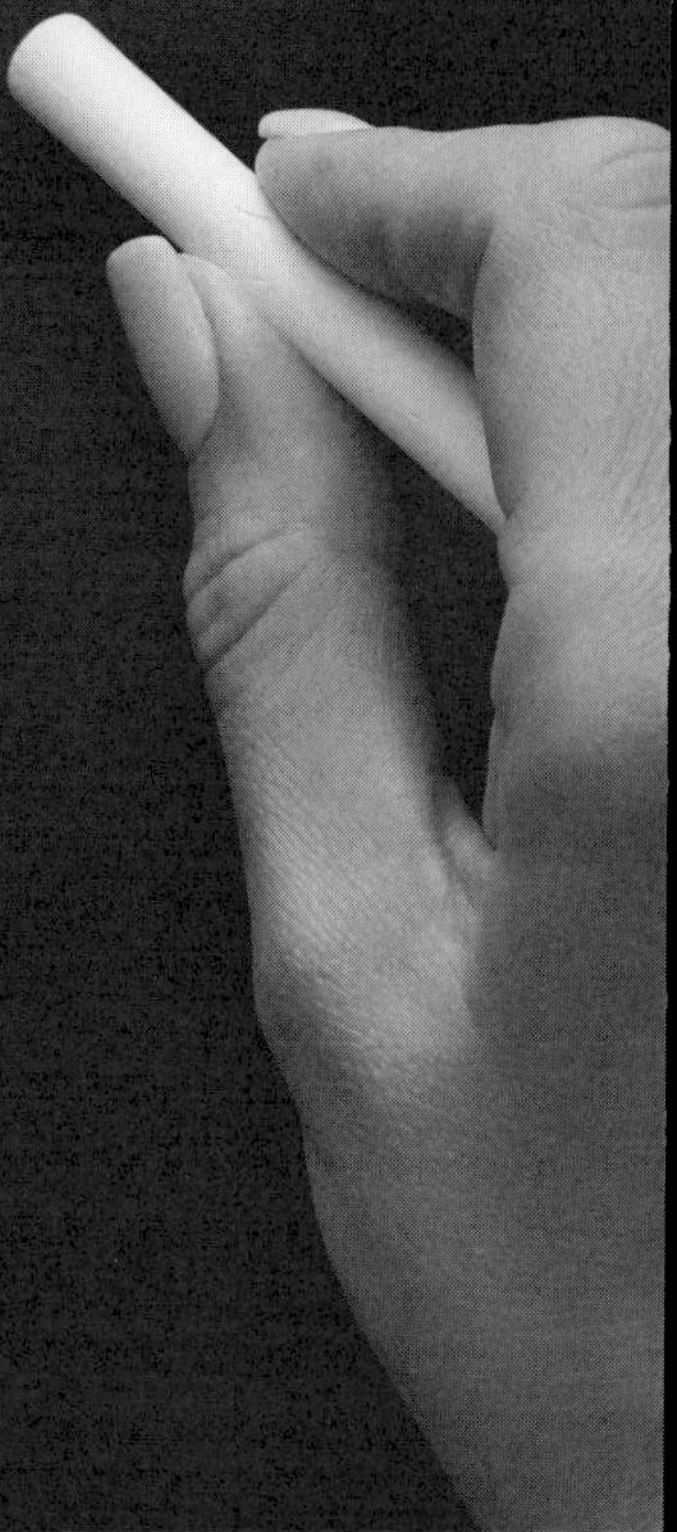

「群れ」としての生命体

今回のテーマは私の思考によるものを含んでいます。なぜなら、現在の科学で「寿命」と「長寿」を解説することは非常に難しいからです。そのため、やがてこのような考え方が一般的になるだろうということをお伝えしたいと思います。

地球上に最初の生命が誕生したのは約38億年前と言われており、ごく単純なつくりの微生物でした。

この頃の生物は自分自身を複製するだけでした。同じ組織をつくり直して、そのままの状態を保った単性生殖であり、寿命のない生物でした。そのため自分の子どもに命をつなぐということはありません。単性生殖は自分と同じことの繰り返しで、進化に乏しいのであまり繁栄しませんでした。

約10億年前にオスとメスという生物ができ、新しい性質を持つ個体（子ども）をつくる両性生殖に変わりました。お互いの遺伝子を半分ずつ切り、それをつなぎ合わせて新しい個体をつくることができるようになったのです。

ほとんどの生物が単性生殖から両性生殖に変わり、子どもに命をつなぐことで、親は死んでいくという循環ができました。

これが「寿命」の発生です。

ハルキゲニア　©Science Photo Library/ アフロ

約5億年前に、ハルキゲニアというバージェス動物群の一種である動物がいました。その化石が発見されたのは1977年と割と最近ですが、多細胞生物の初期の動物です。ハルキゲニアは「個体」から「群れ」に変わっていく初期の動物でもあります。

現在、群れをつくらない動物はほとんどいません。

そして、群れを守るために平気で自ら命を投げ出します。トラのような個別で生活している動物でも、群れが危機に陥ると命をかけて仲間を守るのです。

典型的なのが、イワシです。先述したように、個の身体より大きくしないと食べられてしまうので、イワシは1000匹以上でひとつの形をつくり、行動します。

つまり、イワシは個体ではなく、群れでお互いを守っているのです。そして1000匹以上いても、個体間ではテレパシーのような通信手段で連絡していると言われています。

これは、多細胞生物の細胞間連絡でも同様の働きがあります。

私たちは自分の身体をひとつだと思っているかもしれませんが、実際は60兆個ほどの細胞でできていて、それぞれの細胞はすべて独立しているのです。

一つひとつの細胞は独立していますが、私たちは、歩くときは手も足もすべて連動して動きます。人間の60兆個もの細胞がそれぞれ独立しているのに全体では調和して動くことと、イワシ一匹一匹は別々の個体なのに、1000匹がひとつの群れとなり行動するというのはほぼ同じことだと考えられます。

細胞レベルだけでなく、人間社会における「群れ」もひとつの生命体と言えます。たとえば、国家や民族もひとつの群れです。他国や他民族から身を守るためにイワシのように集団で暮らしているのです。端的に言えば、運命共同体です。日本という国もそうです。そして、日本人の遺伝子は次の世代に引き継がれていきますから、群れとしては命が続いていくことになります。

自分に子どもがいるかどうかは関係ありません。群れの中に子どもがいれば、遺伝子の共通性があるのでみなつながっていきます。つまり、私たちには永久の命が与えられているというわけです。

私の計算では、遺伝子が混ざる量はひとつの県の規模で120年くらい経つと共通の遺伝子を少しずつ持つことになります。日本の歴史は数千年、縄文時代を含めると1万5000年以上ですから、先祖代々綿々と続いてきた共通の遺伝子を日本人全員が少しずつ持っているのです。

私たちが海外の事故などで日本人が亡くなったというニュースを聞いて悲しくなるのは、遺伝子が共通しているからでしょう。

個体の寿命は「経験回数」で決まる

私たちは「あの人は50歳で亡くなったから短命だった。あの人は100歳まで生きたから長生きだった」というように寿命は時間だと思っていますが、厳密には違います。

個体の寿命について、生物学者の本川達雄先生が『ゾウの時間 ネズミの時間』という著書で「体重が大きくなるほど、寿命も長くなる」と書かれています。

ネズミとゾウを比べると、ネズミの寿命は約2年、ゾウの寿命は約30年と言われています。

たとえば、ネズミが後ろを向くのに2秒かかるとしたら、ゾウが後ろを向くためには20〜30秒くらいかかります。ネズミが一生のうちで、生まれてから呼吸をしたり、

動物の平均寿命

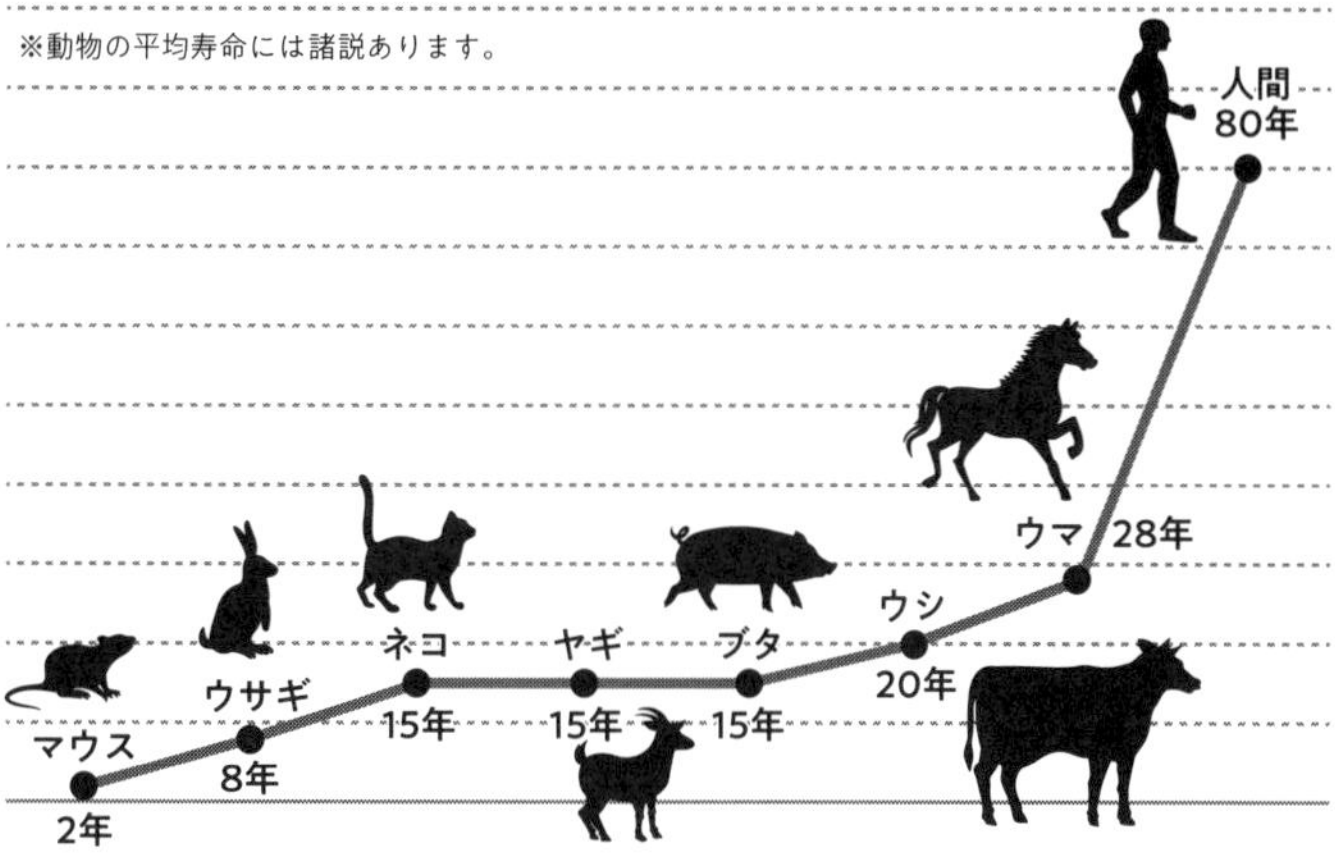

歩いたり、エサを食べたりというような行為を300万回行うのに2年かかるとすると、ゾウは同じ行為をするのに20～30年かかる計算になります。

寿命2年で死んだネズミと寿命30年で死んだゾウは、その人生において「経験回数」は同じということです。

ネズミがゾウに「私は2年で死んでしまうのに、あなたは30年も生きられていいですね」と言ったら、ゾウは「いいえ、私はノロマだから30年生きないとあなたと同じ経験ができないのです」と言うでしょう。

セミはよく知られるように、一生のほとんどを地中で幼虫として過ごし、地上に成虫としてあらわれると、交尾をしたあと2週間ほどで死んでしまいます。

セミが出現したのは2億年以上も前で、その当時は氷河時代で過酷な環境だったため、長い間、地中で暮らすことになったと言われています。

通常、セミは土の中で6～7年間幼虫として暮らしているのですが、ほとんど動かず眠っているので、寿命のカウンターがほとんどカウントされません。ところが地上に出てくると活動が激しくなるので2週間ほどの活動で一生分の寿命を使い果たしてしまうのです。

早く死んだら損だと思うことは浅はかな考えかもしれません。人生で大切なのは、「どれだけ充実した時間を過ごしたか」ということなのかもしれません。

人生の価値は、生きている間に行動した回数であり、それは誰にでも平等に与えられています。ただ時間を過ごしただけの人生と有意義な時間を経験した人生とでは、同じ50年だったとしても、まったく意味が違うと思うのです。

長生きしたければ「自分」をなくすこと

男女の年齢別死因を見ると、20代前後では自殺が多く、45歳以降ではがんでの死亡が多くなっています。これは両方とも「自殺」と言えます。

20代前後は心（精神）の自殺で、大脳が自らを滅ぼします。そして45歳以降は身体の自殺で、がん細胞が自らを滅ぼします。

基本的に人間は生まれるときにがん原遺伝子というものを持っていて、自分が死ななければならないときにスイッチが入ります。それが発現すると、がんになるというしくみです。

誰もがいつか必ず死にます。身体が非常に苦しい状態になったときに、身体の中に

年代別第１位死亡要因

男性

年齢	死因
０歳	先天奇形等
１～４	先天奇形等
５～９	悪性新生物〈腫瘍〉
10～14	自殺
15～19	自殺
20～24	自殺
25～29	自殺
30～34	自殺
35～39	自殺
40～44	自殺
45～49	悪性新生物〈腫瘍〉
50～54	悪性新生物〈腫瘍〉
55～59	悪性新生物〈腫瘍〉
60～64	悪性新生物〈腫瘍〉
65～69	悪性新生物〈腫瘍〉
70～74	悪性新生物〈腫瘍〉
75～79	悪性新生物〈腫瘍〉
80～84	悪性新生物〈腫瘍〉
85～89	悪性新生物〈腫瘍〉
90～94	悪性新生物〈腫瘍〉
95～99	老衰
100歳以上	老衰

女性

年齢	死因
０歳	先天奇形等
１～４	先天奇形等
５～９	悪性新生物〈腫瘍〉
10～14	自殺
15～19	自殺
20～24	自殺
25～29	自殺
30～34	自殺
35～39	悪性新生物〈腫瘍〉
40～44	悪性新生物〈腫瘍〉
45～49	悪性新生物〈腫瘍〉
50～54	悪性新生物〈腫瘍〉
55～59	悪性新生物〈腫瘍〉
60～64	悪性新生物〈腫瘍〉
65～69	悪性新生物〈腫瘍〉
70～74	悪性新生物〈腫瘍〉
75～79	悪性新生物〈腫瘍〉
80～84	悪性新生物〈腫瘍〉
85～89	悪性新生物〈腫瘍〉
90～94	老衰
95～99	老衰
100歳以上	老衰

出典：厚生労働省ホームページをもとに作成

あるがん原遺伝子が活動しはじめて、自分を死なせてくれるというわけです。

若い頃は心が苦しいと大脳の働きによって自殺する。そして歳をとってきて、身体が苦しくなるとがん原遺伝子の働きによって自殺する。それを過ぎると、今度は心疾患や脳血管疾患、肺炎などになり「寿命」で死ぬのです。

このように、人間には「心の自殺」「身体の自殺」「寿命」という3種類の死に方があるのです。


とはいえ、誰もが自殺もせず、病気もせず、なだらかに生きて、90歳くらいでピンピンコロリと逝きたいと思っているはずです。

その代表的な人物が、親鸞です。親鸞は90歳まで生きました。その当時で90歳まで生きるというのは特別なことでした。

幼い頃に一家が離散してしまった親鸞は9歳で出家し、比叡山に入り修行します。しかし、比叡山の教えでは悟りを開く道を見出すことができず、苦しんだ末に下山します。その後、弾圧により越後へ流刑されます。結婚もしましたが、とても苦しい人生を長く送ってきました。

それなのに、親鸞はなぜ長寿だったのでしょうか。それは、利己が少ないからです。それまで利他の精神で「群れ」に貢献してきたからです。


第2部で検証したように、「自分」というのが出てきてしまうのは、大脳新皮質があるからです。この大脳新皮質には、利己が生じます。頭脳が発達していない動物ほど利他的です。これは生物の長い歴史で「利己的な行動は不幸、利他的な行動は幸福」ということが本能的にわかっているからです。

この大脳新皮質の観念をなくせば、自分という殻から脱することができます。

大脳新皮質を取り外す具体的な作業に、「修行」があります。

たとえば、山の中にこもり、絶食をするという修行があります。これは大脳新皮質を取り外すということをやっているのです。瞑想をしたり、坐禅をしたりすることも大脳新皮質から生まれる自我をできるだけ弱めるということをしているのです。そうすることで、本能的な脳が露見してきます。

ブッダやイエスは大脳新皮質を取り外し、本能的な脳にアクセスできたのではないでしょうか。そうすると、その奥に潜む遺伝子情報まで見えてきて、人は死なないということがわかったのかもしれません。

大切なことは、周りの命とどうかかわるか

元気で長生きするためには基本的には2つの原理があります。「社会の役に立つ」ことと「他者と良好な関係を築く」ことです。

平均寿命の推移を見ても、女性と男性では差が出てきます。

女性と男性との平均寿命が離れているのは、女性のほうが真面目だからとか栄養状態が良いからということではなく、本質的に生きる価値が女性のほうがあるということです。

生きる価値というのは、命そのものに価値があるのではなく、その命が周りの命とどうかかわるのかによって生じるものです。

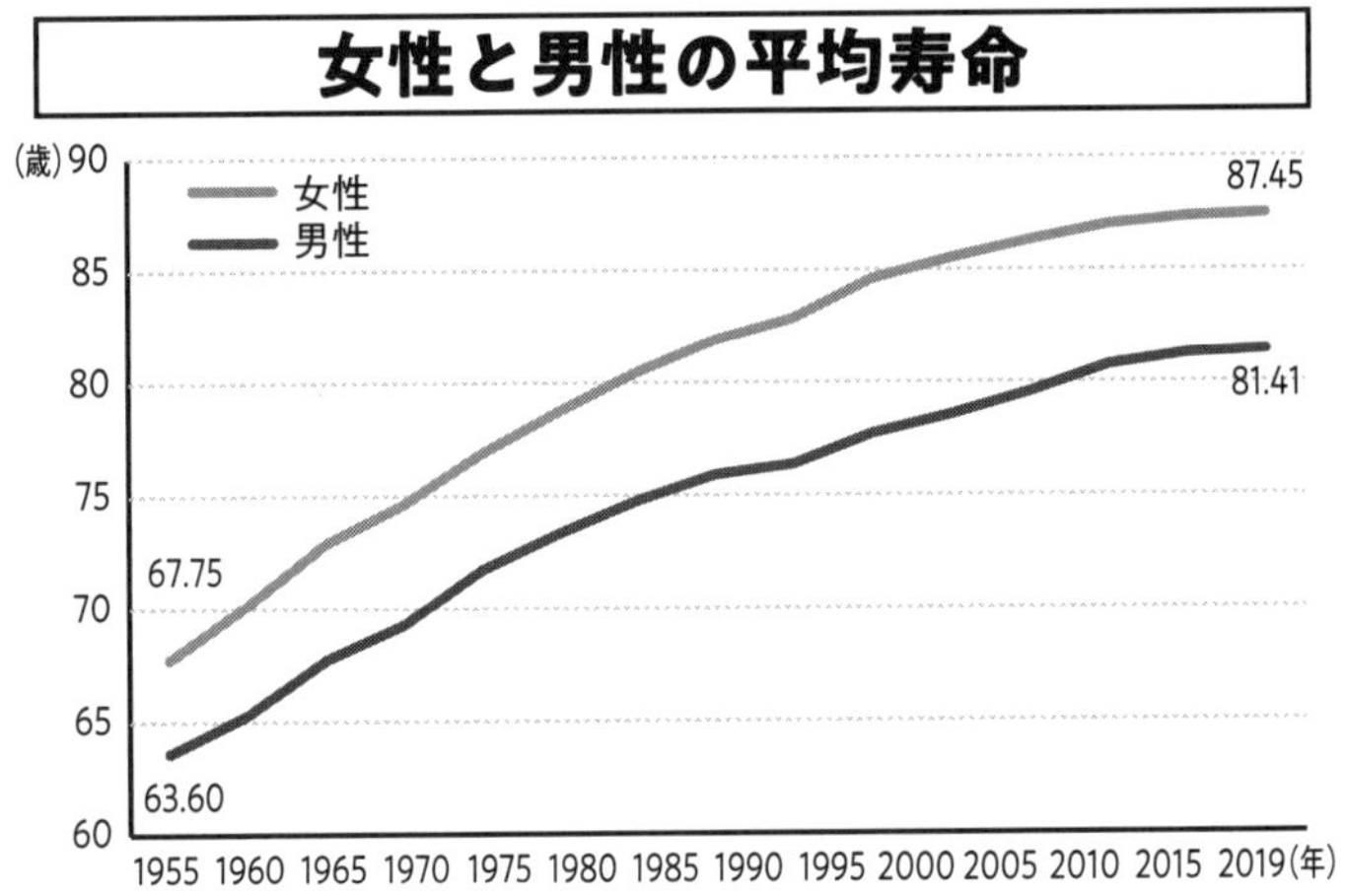

出典：厚生労働省ホームページをもとに作成

女性が結婚してもしなくても、子どもがいてもいなくても、ほとんど寿命が同じなのは「女性」というひとつの生命体だからです。

そして、哺乳動物で人間の女性だけが閉経後も生きているのは、孫や他人のお世話をすることによって生命力を保つことができるからということがわかっています。

男性は平均寿命が約80歳ですが、結婚している場合と、独身の場合では10年くらいの差が出ます。

男性は子どもを産めないので、社会の役に立たないと生きている意味を失い生命力が低下してしまいます。

男性の独身者は、その年齢なりの社会貢献や人間関係の在り方を考える必要があるでしょう。

また一時期、太陽に当たるとがんになると言われたことがありましたが、日頃から太陽の光を浴びている瀬戸内海のおばあちゃんはみな長寿です。

なぜ瀬戸内海のおばあちゃんは長寿なのかという調査をしたところ、極めて当たり前の結果が出てきました。それは、大量の太陽の光を浴びて、坂道を登って、みかんを育てるなど、健康的な生活習慣が整っていたからです。

自然の中で楽しく、充実した日々を過ごし、適切な運動をして、人に貢献している――。だから長寿なのです。この瀬戸内海のおばあちゃんの生活習慣は世界的に高く評価されています。

これらのことからも、「社会に貢献すると長寿になる」ということがわかると思います。

繰り返しになりますが、動物は自分のためだけでは生きられないのです。私たちは日本人の集団としてひとつなのです。自分のことだけを考えて生きていたら、社会からいらないと言われてしまうでしょう。

社会のために働き、社会のために生活するということが人間らしい生き方です。どうしたらいいかわからないという人は、まず身近な人のために何かをしてみてください。どんなことでもいいのです。家事をしたり、いつも笑顔で人に話しかけたり、近所を掃除したり……家庭や職場、近所の中で、周りの人がいいと思う状態を自分からつくっていくことが大切です。これには能力のあるなしは関係ありません。

他人に何かをしてあげるということは、自分の命を延ばすことです。そこに、健康長寿の秘訣があると思います。

装幀　神長文夫＋吉田優子（ウエル・プランニング）
本文イラスト　kinako
本文デザイン　木村慎二郎
編集協力　S&H office

武田邦彦（たけだ くにひこ）
1943年東京都生まれ。工学博士。専攻は資源材料工学。東京大学教養学部基礎科学科卒業後、旭化成工業に入社。
同社ウラン濃縮研究所所長、芝浦工業大学教授、名古屋大学大学院教授を経て、2007年中部大学総合工学研究所教授、2014～2021年中部大学特任教授を務める。
著書に『フェイクニュースを見破る武器としての理系思考』（ビジネス社）『50歳から元気になる生き方』（マガジンハウス）、『ナポレオンと東條英機』（KKベストセラーズ）、『かけがえのない国』（エムディエヌコーポレーション）、『環境問題はなぜウソがまかり通るのか』3部作（洋泉社）他ベストセラー多数。

幸《しあわ》せになるための
サイエンス脳《のう》のつくり方《かた》

2024年4月10日　初版発行

著　者　**武田邦彦**

校　正　大熊真一(ロスタイム)
編　集　川本悟史(ワニブックス)

発行者　横内正昭
編集人　岩尾雅彦
発行所　株式会社 ワニブックス
〒150-8482
東京都渋谷区恵比寿4-4-9 えびす大黒ビル

お問い合わせはメールで受け付けております。

HPより「お問い合わせ」へお進みください。
※内容によりましてはお答えできない場合がございます。

印刷所　株式会社光邦
ＤＴＰ　アクアスピリット
製本所　ナショナル製本

定価はカバーに表示してあります。

落丁本・乱丁本は小社管理部宛にお送りください。送料は小社負担にてお取替えいたします。

ただし、古書店等で購入したものに関してはお取替えできません。

ISBN 978-4-8470-7427-1